D1241290

GERMAN

THROUGH PICTURES

by

I. A. RICHARDS · I. SCHMIDT MACKEY
W. F. MACKEY · CHRISTINE GIBSON

POCKET BOOKS, INC. · NEW YORK

This original Cardinal edition, prepared especially for Pocket Books, Inc., is printed from brand-new plates made from newly set, clear, easy-to-read type

German Through Pictures

CARDINAL edition published March, 1953

1st printing .... March, 1953

CONTENTS

SUGGESTIONS TO THE BEGINNER vii

GERMAN PRONUNCIATION ix

PRINTING AND HANDWRITING xiii

GERMAN THROUGH PICTURES 1

INDEX 241

SUGGESTIONS TO THE BEGINNER

You can go a long way in learning everyday German through this book. Seven hundred of the most widely useful words in the new language are put to work for you in key syntax patterns so that you will not find them difficult to master and apply. These common words in their common sentence forms are made clear to you page by page with the help of pictures. Read each page from left to right, 1-2, and then from left to right again in the two lower frames, 3-4.

As you work with the book you will see that each page is part of a larger design, building systematically upon the pages which go before it. Moreover, each page has its own organic relations between its several parts. The individual frames, 1, 2, 3 and 4, become comprehensible to you with the help of one another. Study the pictures on a page and you will see as you examine the sentences which accompany them how the sentences change with the details in the pictures, and why. Follow the sequence to find out what the sentences say. New words will take on meaning as you proceed, and your knowledge of the language will develop.

You will notice that the new items on this page are mastered without recourse to an English translation or to a bilingual dictionary. While you are working along from page to page, comparing pictures and sentences and getting new meanings clear, it is well to keep your own language as far as possible out of your mind. *Don't translate.* If you do, the sounds, the sentence forms and the meaning patterns of English will get in your way and make your learning of German more difficult.

What has been said so far about your attack upon the new language refers to eye-learning, visual comprehension. The best aid to pronunciation is of course a teacher with a native speaker's command of German to supply you with models and correct you where you go wrong. The next best help is a series of good phonograph records with pauses for you to fill with your best imitations. Information about such a set for this book may be obtained from the authors at 13 Kirkland Street, Cambridge, Massachusetts, or from Educational Services, 1702 K Street, N. W., Washington 6, D. C. But even without records or a teacher, much help can be got through careful study of the descriptions of German sounds which follow, and an intelligent, alert use of the indications of pronunciation given on Pages *ix-xii*. A word of warning, however, is in place. If you have not carefully taken in and mastered these aids, do not vocalize the German in your study. By reading the German as if it were English you can form habits which will be a hindrance to you later. Be content to develop at first only a reading and writing knowledge of German unless you are able to make the extra effort of a really serious attack on the pronunciation. If not, postpone that until you have your teacher or records, and confine yourself to silent reading.

English-speaking people have a good chance of acquiring an acceptable German pronunciation because there are few unfamiliar sounds to learn. Besides, German unlike English spelling is fairly consistent. So once you get acquainted with German spelling conventions you will know how words should be pronounced when you see them in print. The pronunciation described in what follows is that of the stage, the radio and the film. It is in several respects a minority pronunciation, but it is readily understood wherever German is spoken.

VOWEL SOUNDS

One thing to keep in mind is that all German vowels are pure vowels. You will pronounce the vowel sound of, e.g. *froh* correctly if you keep jaw, lips and tongue steady while you are articulating the sound. If you move your jaw and let your lips come closer together, you will get the *ou* sound of, e.g. *go*. German vowels are either long or short.

Long Vowels

A sounds like the English *a* in *father*, e.g. *Vater, Nase, Frage*.

E is like the sound of *e* in *eight*, e.g. *geben, Regen*.

I sounds like the English *i* in *machine*, e.g. *ihre, ihm*.

O is like the beginning of the *o* sound in *go*, e.g. *rot, gross*.

U is like the *u* in *rule*, e.g. *Hut, Fuss*.

Short Vowels

A sounds like the first *a* of *aha*, e.g. *hatte, Flasche*.

E is like the *e* in *get*, e.g. *Geld, Brett*.

I is like the *i* in *pin,* e.g. *in, Schiff, Tisch.*

O is like the *o* in *got,* e.g. *offen, Kopf.*

U is like the *u* in *put,* e.g. *unter, Hund.*

In most cases, spelling will tell you whether to pronounce a vowel long or short. A vowel is long if it is:

a) doubled, e.g. *Haar, Meer.*

b) followed by an *h,* which is always silent, e.g. *ihn, Uhr.*

c) separated from the next vowel by a single consonant, e.g. *Frage, Boden.*

The letter combination *ie* stands for the long *i* sound of *machine,* e.g. *hier.*

A vowel is short if followed by more than one consonant, e.g. *Mann, Geld.* An *e* at the end of a word, e.g. *hatte* or in an unstressed final syllable, e.g. *Fenster, Bruder* is slurred like the *e* in *mother* or the last *a* in *banana.*

Three vowel sounds with long and short values are represented by two dots over the vowel symbol *ä, ö, ü.* Long *ä,* e.g. *Käse* sounds like the *a* of *care;* short *ä,* e.g. *Männer* like the *a* of *cat.* The sounds indicated by *ö* and *ü* may give you some trouble at the beginning because they do not occur in English. You will hit upon the *ö* sound of, e.g. *grösser* by pronouncing German *e* with the lips rounded as for *o.* Its French equivalent is the *eu* sound of *feu.* To get the *ü* sound of, e.g. *über* try to articulate German *i* with lips rounded as for *u.* If you know French pronounce it like the *û* of *sûr.*

The letter combination *ei (ai),* e.g. *mein, Mai* is pronounced like the *i* of *mine; au,* e.g. *Frau, Haus* approximately like the *ou* of *house; äu (eu),* e.g. *Häuser, neun* like the *oi* of *boil.*

CONSONANT SOUNDS

The sounds represented by *b, d, f, h, k, l, m, n, p, qu, t, x* have practically the same values as in English. The main differences between German and English consonant sounds and consonant symbols are:

CH after *a, o, u,* e.g. *Nacht, Loch* stands for the harsh guttural sound of Scots *loch;* after *e, i,* or a consonant, e.g. *ich, nicht* it sounds like the *h* of *hue.*

CK equals *kk,* e.g. *Deckel, Socke.*

G sounds like the *g* of *go,* e.g. *Geld, gut.* In the ending *-ig,* e.g. *dreissig, schmutzig* it has the same value as *ch* in *ich.*

J sounds like the *y* of *yes,* e.g. *ja, Jahr.*

KN is always pronounced like *kn* in *darkness,* e.g. *Knie, Knopf.*

NG sounds like the *ng* of *singer,* never like the *ng* of *finger,* e.g. *länger, Finger.*

PF is pronounced like *pf* in *cupful,* e.g. *Pferd, Kopf.*

R as practiced by actors, singers and radio announcers is the trilled *r* of the Scot or the Italian. It is made with the tip of the tongue. Most Germans produce their *r* by vibrating the uvula against the back of the tongue.

S at the beginning of a word, e.g. *sie, Seite* or between two vowels, e.g. *lesen, Nase* is pronounced like the *z* of *zero;* before *p* and *t,* e.g. *Stuhl, Spiegel* like the *sh* of *shine;* elsewhere, e.g. *ist* like the *s* in *yes.*

SCH has the same value as *sh* in *ship,* e.g. *Schiff, Schuh.*

-TI- in foreign words is pronounced *tsi,* e.g. *Nation.*

V in native German words, e.g. *Vater, vier* is pronounced like *f;* in words of Latin origin, e.g. *November* like the *v* of *vain.*

W equals English *v,* e.g. *Wasser, Wind.*

Z (*TZ*) is always pronounced like the *ts* of *cats,* e.g. *Zimmer, schmutzig.*

B, d, g in final position have the values of *p, t, k.* Thus the *g* of *des Tages* is the *g* of *get,* but *der Tag* is pronounced ,,*der Tak*'', *gelb* becomes ,,*gelp*'', *das Hemd* ,,*das Hemt*''.

STRESS

Simple German words are stressed on the first syllable. In words beginning with the prefixes *be-, em-, ent-, er-, ge-, ver-, zer-,* the stress is on the basic element, e.g. *Entfer'nung.* Words of foreign origin are often stressed on the last syllable, e.g. *Musik', April'.*

GERMAN

THROUGH PICTURES

Das ist eine Flasche.

Die Flasche ist hier.

Das ist ein Stuhl.

Der Stuhl ist dort.

Die Flasche ist hier.
Sie   ist hier.

Die Frau ist hier.
Sie   ist hier.

Der Stuhl ist dort.
Er   ist dort.

Der Mann ist dort.
Er   ist dort.

Das ist ein Hut.

Das ist eine Flasche.

Das sind Hüte.

Das sind Flaschen.

Die Hüte sind hier.

Sie sind hier.

Die Flaschen sind dort.

Sie sind dort.

Das ist ein Mann.   Das ist eine Frau.

Das sind Männer.   Das sind Frauen.

Die Männer sind hier.   Die Frauen sind dort.

Sie   sind hier.   Sie   sind dort.

Das ist ein Hut.

Das ist eine Hand.

Das ist meine Hand.

Das ist seine Hand.

Das ist ihre Hand.

Das ist ein Arm.

Das ist ein Mann.

Das ist ein
Bein.

Das sind die
Arme des
Mannes.

Das sind die
Beine des
Mannes.

Das ist ein Fuss.

Das sind die
Füsse des
Mannes.

Das ist ein Tisch.

Das ist ein Stuhl.

Das sind die Beine
des Tisches.

Das sind die Beine
des Stuhles.

Das sind seine Beine.

Das sind seine Beine.

Das ist ein Glas.

Das sind Gläser.

Das Glas ist hier.

Es   ist hier.

Die Gläser sind dort.

Sie   sind dort.

Das ist ein Buch.

Das sind Bücher.

Das Buch ist hier.

Es   ist hier.

Die Bücher sind dort.

Sie   sind dort.

Der Mann und die Frau
sind hier.

Der Mann und die Frau
sind dort.

Das ist ein Schiff

und

das ist eine Flasche.

Die Schiffe sind
auf dem Wasser.

Das Schiff ist
in der Flasche.

Das ist Wasser.

Das Wasser ist
in der Flasche.

Das Glas ist auf
dem Tisch.

Das Glas und die
Flasche sind auf
dem Tisch.

Das Wasser ist in
der Flasche.

Das Wasser ist im
(=in dem) Glas.
Es ist im Glas.

Das Mädchen hat
ein Glas.

Der Junge hat eine
Flasche.

Die Frau hat ein Buch.

Der Mann hat einen Hut.

Der Hut des Mannes
ist auf dem Tisch.

Er wird seinen Hut
vom Tisch nehmen.

Er nimmt den Hut
vom Tisch.

Er nahm ihn vom Tisch.
Er hat den Hut in der
Hand.

Er wird dem Mann
seinen Hut geben.

Er gibt dem Mann
seinen Hut.

Er gab dem Mann
seinen Hut.

Der Mann hat den Hut
in den Händen.

Der Mann wird der Frau seinen Hut geben.

Er gibt der Frau seinen Hut.

Er gab der Frau seinen Hut.

Die Frau hat den Hut des Mannes in den Händen.

Sie wird den Hut
auf den Tisch tun.

Sie tut den Hut
auf den Tisch.

Sie tat ihn auf
den Tisch.

Der Hut des Mannes
ist auf dem Tisch.

Der Hut des Mannes und der Hut der Frau sind auf dem Tisch.

Das ist ein Zimmer.

Das sind Fenster.

Das ist eine Tür.

Das ist eine Tür.

Das ist der Boden des Zimmers.

Das sind die Fenster des Zimmers.

Das ist ein Fenster und das ist ein Fenster.

Dieses Fenster
ist offen.

Dieses Fenster
ist geschlossen.

Das ist eine Tür   und   das ist eine Tür.

Diese Tür ist offen.   Diese Tür ist geschlossen.

Das ist
eine Wand.

Und das ist
eine Wand.

Das ist ein
Bild.

Es ist an
der Wand.

Das ist der Boden.

Das ist das Bild eines
Mannes und einer Frau.

Das ist
ein Haken.

Das ist
die Schnur
des Bildes.

Das ist der Rahmen
des Bildes.

Das ist ein Haus.

Das ist
ein Fenster
des Hauses.

Das sind
Fenster
des Hauses.

Das ist die Tür des Hauses.

Das sind Häuser.

Das ist eine
Strasse.

Ein Mann ist auf der
Strasse.

Das ist sein
Haus.

Der Mann ist hier.
Sein Haus ist dort.
Er wird dorthin gehen.

Er geht dorthin.

Er ging
dorthin.
Er ist dort.
Er ist bei
seinem Haus.
Wo war
er?

Er war hier.

Wo ist er?
Er ist an der Tür.
Er ist an der Tür
seines Hauses.

Was ist das?

Das ist ein Hut.

„Was ist das?" ist eine Frage.

„Das ist ein Hut" ist eine Antwort.

„Ist das ein Hut?"
Das ist eine Frage.

„Ja, das ist ein Hut."
Das ist eine Antwort.

„Ist das Wasser in der Flasche?"
Das ist eine Frage.

„Nein, das Wasser ist nicht in der Flasche. Es ist im Glas."
Das ist eine Antwort.

a. Was ist das?
   Das ist . . .

b. Was ist das?

c. Was ist das?

d. Was ist das?

e. Was ist das?

f. Was ist das?

g. Was ist das?

h. Was ist das?

Das ist Seite 31. Die Antworten sind auf Seite 34.

FRÁGEN

a. Was sind das?

Und was ist das?

b. Was sind das?

Und was ist das?

c. Was sind das?

Und was ist das?

d. Was sind das?

Und was ist das?

e. Was sind das?

Und was ist das?

f. Was ist das?

Und was ist das?

g. Was sind das?

Und was ist das?

h. Was ist das?

Was ist im Zimmer?

Das ist Seite 32. Die Antworten sind auf Seite 34.

Was ist das?

Das ist eine Uhr.
Wieviel Uhr ist es?
Es ist ein (1) Uhr.

Wieviel Uhr ist es?
Es ist zwei (2) Uhr.

Wieviel Uhr ist es?
Es ist vier (4) Uhr.

Wieviel Uhr ist es?
Es ist sechs (6) Uhr.

Wieviel Uhr ist es?
Es ist acht (8) Uhr.
Es ist acht (8).
Es war sieben (7).
Es wird neun (9) sein.

Wieviel Uhr ist es?
Es ist zehn (10).
Es war neun (9).
Es wird elf (11) sein.

Wieviel Uhr ist es?
Es ist zwölf (12).
Es war elf (11).
Es wird eins (1) sein.

Eins (1), zwei (2),
drei (3), vier (4),
fünf (5), sechs (6),
sieben (7), acht (8),
neun (9), zehn (10),
elf (11), zwölf (12).

Was sind Dinge?

Ein Haus ist ein Ding.
Häuser sind Dinge.

Ein Hut ist ein Ding.
Hüte sind Dinge.

Fenster und Türen
sind Dinge.
Tische und Stühle
sind Dinge.

Das ist ein
Mann. →

Das ist →
eine Frau.

Das ist →
ein Junge.

Das ist ein
Mädchen. ←

Männer und Frauen,
Jungen und Mädchen
sind Personen.

In diesem Zimmer sind
zwei Personen.
Die Personen sind ein
Junge und ein Mädchen:
Anna und Wilhelm.

Anna wird zum (=zu
dem) Fenster gehen.
Sie wird zum Fenster
gehen.

Anna ist an der Tür.
Wilhelm ist am
(=an dem) Fenster.
Er ist am Fenster.

Anna geht zum Fenster.
Wo war sie?

Sie war an der Tür.

Sie ging zum Fenster.
Wo ist sie?
Sie ist am Fenster.

Sie ist mit dem Jungen
am Fenster.

Anna und Wilhelm sind
am Fenster.
Sie sind zusammen.
Sie ist bei ihm.
Er ist bei ihr.

Sie sind zusammen
am Fenster.

Diese Bücher sind
zusammen auf einem
Brett.

Das ist ein Brett.
Es ist ein Bücherbrett.

Diese Bücher sind nicht
zusammen.
Sie sind auf einem
Brett, aber sie sind
nicht zusammen.

Anna und Wilhelm werden vom Fenster zur (=zu der) Tür gehen.

Sie gehen vom Fenster zur Tür.

Sie werden vom Fenster zur Tür gehen.

Sie waren am Fenster.

Sie gingen zur Tür. Er ging mit ihr und sie ging mit ihm. Sie gingen zusammen zur Tür.

Anna ist wieder an der Tür. Wilhelm ist mit ihr. Sie sind zusammen an der Tür.

Das ist mein Kopf.

Das ist ihr Kopf.

Das sind meine Augen.

Ihre Augen sind offen.

Das ist ein
Auge.

Das ist
das andere
Auge.

Ihre Augen sind
geschlossen.

Meine Augen sind
offen.
Ich sehe.

Ihre Augen sind
geschlossen.
Sie sieht nicht.

Ihre Augen sind offen.
Sie sieht.
Was sieht sie?
Sie sieht mich.

Ich sehe sie.
Sie sieht mich
nicht.

Ich sehe sie.
Sie sieht mich.
Unsere Augen sind
offen.

Ihre Augen sind offen.

Sie sieht.

Ihre Augen waren
geschlossen.

Sie sah nicht.
Sie sah mich nicht.

Ihre Augen sind
geschlossen.

Sie waren offen.
Sie sah.
Was sah sie?

Sie sah mich.

Ein Mann hat zwei
Augen.
Ich habe zwei Augen.

Das sind meine Augen.

Ein Mann hat eine Nase.
Ich habe eine Nase.

Das ist
meine Nase.

Ein Mann hat einen
Mund.
Ich habe einen Mund.

Das ist mein Mund.

Der Mund dieses
Mannes ist offen.
Er sagt: „Mund."

Sein Mund ist
geschlossen.

Er sagt nichts.

Sein Mund ist
geschlossen.
Er wird „Mund"
sagen.

Mund.

Er sagt: „Mund."
Sein Mund ist
offen.

Er sagte: „Mund."
Sein Mund ist
wieder geschlossen.
Er sagt nichts.

Das sind drei Bücher.

Sie sind auf einem Bücherbrett.

Dieses Buch ist zwischen den andern zwei Büchern.

Ich habe das Buch in der Hand.
Es war auf dem Bücherbrett.
Es war zwischen den andern zwei Büchern.

Das sind die Seiten des Buches.

Das sind die Finger meiner Hand.

Das ist der Daumen.

Das sind die Deckel des Buches.
Die Seiten sind zwischen den Deckeln des Buches.

Dieser Finger ist zwischen diesen zwei Fingern meiner Hand.

Die Nase ist zwischen
den Augen.

Sie ist zwischen den
Augen und dem Mund.

Der Mund ist unter
der Nase.

Die Nase ist über
dem Mund.

Das Licht ist über
dem Tisch.

Der Hund ist unter
dem Tisch.

Das ist eine Uhr.

Sie ist an der Wand.
Sie ist über den
Bücherbrettern.

Die Bücherbretter
sind unter der Uhr.

Das ist das Haar eines Mannes. Es ist kurz.

 Das ist das Haar einer Frau. Es ist lang.

Das sind seine Ohren.

Wo sind ihre Ohren?

Sie sind unter ihrem Haar.

Das ist der Kopf eines Mannes.

Das ist sein Gesicht.

Die Augen, die Nase und der Mund sind Teile des Gesichts.

Das ist eine Uhr.

Die Uhr hat zwei Zeiger.

Einen grossen Zeiger

und

einen kleinen Zeiger.

Der grosse Zeiger ist auf fünf. Der kleine Zeiger ist zwischen sieben und acht.

Wo ist der kleine
Zeiger?

Der kleine Zeiger ist
auf zehn.
Wo ist der grosse
Zeiger?
Der grosse Zeiger ist
auf eins.
Es ist zehn Uhr fünf
Minuten (10:05).

Die zwei Zeiger sind
auf zwölf.

Es ist Mittag.

Die zwei Zeiger sind
wieder auf zwölf.

Es ist Mitternacht.

Der grosse Zeiger der
Uhr ist zwischen eins
und zwei.

Zwei ist zwischen
eins und drei.
Drei ist zwischen
zwei und vier.
Neun ist zwischen
acht und zehn.

Ich habe ein Buch
in den Händen.
Es war auf dem
Bücherbrett.
Es war zwischen den
andern zwei Büchern.

Jetzt ist es zwischen
den andern zwei
Büchern.
Jetzt ist es wieder auf
dem Bücherbrett.

Ich habe das Buch
in der Hand.
Ich werde es zwischen
die andern zwei
Bücher tun.

Ich hatte es in der
Hand.
Jetzt habe ich es nicht
in der Hand.
Wo ist es?

Das ist ein Zimmer.

Was sehen Sie in
diesem Zimmer?
Sehen Sie den
Boden und die drei
Wände des Zimmers?

Sehen Sie eine Tür und
zwei Fenster?
Ist ein Fenster offen?
Ist das andere Fenster
geschlossen?
Sehen Sie die zwei
Stühle und die
Bücherbretter
zwischen ihnen?
Diese Dinge sind im
Zimmer.
Das Zimmer ist in einem
Haus.

Das ist ein Mann.

Wo ist sein Kopf?

Wo sind
seine Arme?

Wo sind
seine Beine?

Wo sind
seine Füsse?

Hier ist sein Kopf.

Hier sind
seine Arme.

Hier sind
seine Beine.

Hier sind
seine Füsse.

Der Kopf, die Arme,
die Beine und die
Füsse sind Teile
des Körpers.

Das ist ein Gesicht.

Die Augen, die Nase
und der Mund sind
Teile des Gesichts.

Wo sind die Augen?
Wo ist die Nase?
Wo ist der Mund?

Das sind mein Hände.

Wo ist meine rechte
Hand?
Wo ist meine linke
Hand?

Wo sind meine
Daumen?
Wo sind meine Finger?

Das ist eine Frau.

Das ist ihr Kopf.

Das sind ihre Arme.

Das sind ihre Beine.

Das sind ihre Füsse.

Der Kopf, die Arme, die Beine und die Füsse sind Teile ihres Körpers.

Dieser Junge hat einen Körper.

Dieses Mädchen hat einen Körper.

Alle Männer und Frauen, alle Jungen und Mädchen haben Körper.

Der Hund hat einen Körper.

Das ist sein Schwanz.

Das ist sein Körper.

Er hat vier Beine, einen Kopf und einen Schwanz.
Der Kopf, die Beine und der Schwanz sind Teile seines Körpers.

Das ist der Kopf eines Hundes.

Wo sind seine Ohren?
Wo sind seine Augen?

Das ist ein Fuss.

Das sind Zehen.

Die Zehen sind Teile
des Fusses.

Das ist eine
Zehe.

Das ist ein Bein.

Das ist ein
Knie.

Das Knie ist ein
Teil des Beines.
Die Beine sind
Teile des Körpers.

Das ist
der Hals.

Der Hals ist ein
Teil des Körpers.
Er ist unter dem
Kopf.

Das ist der Kopf
eines Mannes.

Das ist sein Kinn.
Es ist unter dem Mund.
Das Kinn ist ein Teil
des Gesichts.

Das ist der Körper
eines Mannes.

Das ist
seine
Brust.

Die Brust ist ein
Teil des Körpers.

Der Kopf, der Hals,
die Brust, die Arme,
die Beine und die
Füsse sind Teile
des Körpers.

Dieser Mann hat den
Finger auf dem Kinn.

Dieser Mann
hat die Hand
auf der Brust.

Ein Mann hat
zwei Beine.

Ein Hund hat
vier Beine.

Dieser Tisch
hat vier Beine.

Dieser Stuhl
hat drei Beine.

FRAGEN   Wo ist der Hund?

Die Antworten auf diese Fragen sind auf Seite 57.

FRAGEN   Was sehen Sie?

a.

b.

c.

d.

e.

f.

g.

h.

Die Antworten auf diese Fragen sind auf Seite 57.

FRAGEN   Was sagt er?

Die Antworten auf diese Fragen sind auf Seite 58.

FRAGEN Was sehen Sie?

a.

b.

c.

d.

Die Antworten auf diese Fragen sind auf Seite 58.

Antworten auf die Fragen von Seite 53-54.

Seite 53

a. Der Hund ist im Zimmer.

b. Er ist an der Tür.

c. Er ist am Fenster.

d. Er ist unter dem Stuhl.

e. Er ist unter dem Tisch.

f. Er ist auf dem Tisch.

g. Er ist zwischen dem Tisch und dem Stuhl.

h. Er ist auf dem Stuhl.

Seite 54

a. Ich sehe eine Uhr. Es ist vier Uhr.

b. Ich sehe den Kopf eines Mannes.

c. Ich sehe den Kopf einer Frau.

d. Ich sehe den Kopf eines Hundes.

e. Ich sehe zwei Bücher. Das eine Buch ist offen. Das andere Buch ist geschlossen.

f. Ich sehe zwei Mädchen. Das eine Mädchen gibt dem andern Mädchen ein Buch.

g. Ich sehe ein Mädchen und einen Jungen an der Tür.

h. Ich sehe ein Bücherbrett. Auf dem Bücherbrett sind Bücher.

Antworten auf die Fragen von Seite 55-56.

Seite 55

a. Er sagt: „Das sind meine Ohren."

b. Er sagt: „Das ist mein Mund."

c. Er sagt: „Das sind meine Augen."

d. Er sagt: „Das ist mein Daumen."

e. Er sagt: „Dieser Finger ist zwischen diesen Fingern."

f. Er sagt: „Das ist meine Nase."

g. Er sagt: „Das ist mein Haar."

h. Er sagt: „Das ist mein Kopf."

Seite 56

a. Ich sehe einen Jungen und ein Mädchen. Sie sind zusammen am Fenster.

b. Ich sehe eine Uhr auf dem Tisch. Es ist vier Uhr.

c. Ich sehe ein Zimmer. Unter einem Bild sind zwei Stühle. Das Zimmer hat zwei Fenster und eine Tür. Das eine Fenster ist offen. Das andere Fenster ist geschlossen. Die Tür des Zimmers ist offen. An der Wand ist ein Bild.

d. Ich sehe den Kopf eines Mannes. Er hat den Finger auf dem Kinn. Sein linkes Auge ist offen. Sein rechtes Auge ist geschlossen. Sein Mund ist geschlossen.

Wer ist das?
Das ist Josef Schmidt.
Sein Name ist Josef
Schmidt.

Das ist
eine Tasche.

Wo ist Herr Schmidt?
Er ist an der Tür
seines Hauses.

Herr Schmidt tut die
Hand in die Tasche.

Er nimmt einen
Schlüssel aus
der Tasche.

Das ist ein Schlüssel.

Das sind andere
Schlüssel.

Er hat den Schlüssel
in der Hand.

Er tut den Schlüssel
in das Schlüsselloch.

Er wird den Schlüssel
in das Schlüsselloch
der Tür tun.

Jetzt ist der Schlüssel
im Schlüsselloch.

Er gibt der Tür
einen Stoss.

Jetzt ist die Tür offen.

Jetzt tut Herr Schmidt
den Schlüssel in die
Tasche.

Jetzt geht Herr
Schmidt in sein Haus.

Der Schlüssel war im
Schlüsselloch.
Jetzt ist er wieder
in der Tasche.

Er ging in sein Haus.
Jetzt ist er im Haus.

Das ist ein Zimmer in
seinem Haus.

Die Tür ist wieder
geschlossen.

Ist Herr Schmidt im
Zimmer?
Nein, er ist nicht im
Zimmer, aber er wird ins
(=in das) Zimmer
kommen.

Jetzt kommt Herr
Schmidt ins Zimmer.

Er kam ins Zimmer.
Er ging zum Tisch.

Er geht zum Tisch.

Er wird seinen Hut auf
den Tisch tun.

Ist sein Hut jetzt auf
dem Tisch?
Nein, er ist nicht auf
dem Tisch.

Sie ist in einem
andern Zimmer des
Hauses.

Ist Frau Schmidt im
Zimmer?
Nein, sie ist nicht
im Zimmer.
Wo ist sie?

Wer ist das?
Das ist Frau Schmidt.
Ihr Name ist Helene
Schmidt.

Dieses Zimmer hat
zwei Türen.
Das ist die eine Tür
des Zimmers.

Das ist die andere
Tür.

Das ist ein Fenster
des Zimmers.

Das ist ein anderes
Fenster.

Und das ist ein
anderes Fenster.
Ein Fenster ist offen.
Die andern Fenster
sind geschlossen.

Das sind meine Hände.
Das ist meine linke Hand.

Das ist meine andere
Hand.
Es ist meine rechte Hand.

Das sind die Finger
meiner Hand.

Das ist mein linker
Daumen.
Das ist mein linker
Zeigefinger.
Das sind die andern
Finger meiner linken
Hand.

Frau Schmidt ist
nicht im Zimmer.
Sie ging aus dem
Zimmer.

Herr Schmidt ist
im Zimmer.
Er kam ins Zimmer.

Sie ging durch
diese Tür.

Er kam durch diese Tür
ins Zimmer.

Herr Schmidt tut seinen
Hut auf den Tisch.
Er wird wieder aus
dem Zimmer gehen.

Er tat seinen Hut
auf den Tisch.
Jetzt ist er auf
dem Tisch.

Er wird durch diese
Tür gehen.

Herr Schmidt ging durch
diese Tür aus dem
Zimmer.

Frau Schmidt kommt
ins Zimmer.

Sie geht zum Tisch.

Sie wird den Hut sehen.

Sie sieht ihn.

Sie wird den
Hut vom Tisch nehmen.

Sie nimmt ihn.

Sie nahm den Hut.
Sie hat ihn in der
Hand.

Sie ging mit Herrn
Schmidts Hut aus dem
Zimmer.

Jetzt geht sie aus
dem Zimmer.

Jetzt ist Frau Schmidt in
einem andern Zimmer.
Sie kam durch diese
Tür ins Zimmer.

Das sind Haken.

Sie hat Herrn Schmidts
Hut in der Hand.

Ein Hut ist am
Haken.
Es ist Frau Schmidts
Hut.

Sie tut Herrn
Schmidts Hut an
den Haken.

Jetzt ist Herrn
Schmidts Hut auch
am Haken.

Herr Schmidt kommt
wieder ins Zimmer.

Er geht zum Tisch.

Er kam ins Zimmer.
Er ging zum Tisch.

Jetzt ist er beim Tisch.

Sein Hut ist nicht auf
dem Tisch.

Er sagt:

„Wo ist mein Hut?
Ich tat ihn auf den
Tisch. Ich tat ihn
dorthin."

Sie sagt:

"Hier bin ich."

Herr Schmidt sagt: "Wo ist mein Hut, Helene?"

Sie sagt:

"Er war auf dem Tisch."

Ich nahm ihn vom Tisch.
Ich tat ihn an den Haken im andern Zimmer.
Ich tat ihn dorthin.

Er ist dort.
Er ist am Haken.

Herr Schmidt sagt:
„Ich werde ins andere
Zimmer gehen und
meinen Hut nehmen."

Er nimmt seinen
Hut.

Nahm er seinen Hut?
Ja, er nahm ihn.
Er hat ihn in der Hand.

Er ging aus dem
Zimmer.

Als er den Hut sah,
nahm er ihn vom Haken.

Er kam wieder ins
Zimmer.
Er hatte den Hut in
der Hand.

Er gibt seiner Frau
den Hut.

Er sagt:

„Helene, was ist
im Hut?"

Was ist im Hut?
Frau Schmidt wird
den Hut in die Hand
nehmen.

Was nimmt sie aus
dem Hut?

Was hat sie in der
Hand?

Geld.

Was sieht sie?

Sie sieht hundert
Mark. (100 DM)
(DM=Deutsche Mark)

Sie hat das Geld
in der Hand.
Es war im Hut.

Wo war der Hut?
Er war auf dem
Tisch.

Was sah sie?
Sie sah den Hut,
aber sie sah nicht
das Geld.

Sie nahm den Hut.
Sie tat ihn an den
Haken im andern
Zimmer.

Dann ging Herr Schmidt
ins Zimmer und nahm
den Hut vom Haken.
Wer nahm ihn?
Herr Schmidt nahm ihn.

Sieht Frau Schmidt
das Geld jetzt?
Ja, jetzt sieht sie es.

Sie sagt: „Josef,
wie kommt dieses Geld
in den Hut?"

„Ich ging auf der Strasse.

Der Wind kam und nahm meinen Hut vom Kopf.

Ich ging dem Hut nach.

Als ich ihn in die Hand nahm, sah ich das Geld.

DM. 100

Das Geld war unter
dem Hut.

Als der Wind kam,
nahm er meinen Hut
vom Kopf.

Der Hut war auf dem
Geld.

Dann kam er wieder
herunter.

Der Hut kam herunter,
und das Geld war dort.
Der Hut war auf dem
Geld.

Das Geld war unter
dem Hut."

Auf dem Brett
ist eine Flasche.

Es ist eine Flasche
Milch.
Herr Schmidt wird
sie vom Brett
nehmen.

Er nimmt die Flasche
vom Brett.

Er hat sie in der Hand.

Jetzt tut er die
Milch in die Gläser.

Die Milch ist in den
Gläsern.

Herr Schmidt hat die
Gläser in den Händen.

Das ist ein Brett.
Es ist ein Servierbrett.

Frau Schmidt hat das
Servierbrett in den
Händen.
Auf dem Servierbrett
sind zwei Teller.

Herr Schmidt hat
zwei Stühle in den
Händen.

Er geht mit den
Stühlen zum Tisch.

Frau Schmidt ist bei
Tisch.

Herr Schmidt und Frau
Schmidt sind bei Tisch.

Sie werden ihre Gläser nehmen.

Herr Schmidt hat sein Glas in der rechten Hand.

Jetzt haben sie ihre Gläser in den Händen.

Frau Schmidt hat ihr Glas in der linken Hand.

Sie haben ihre Gläser in den Händen.

Jetzt haben sie ihre Löffel in den Händen.

Das ist ein Löffel.

Was werden wir mit unserem Geld machen?

Ich werde ein neues Kleid kaufen.

Das ist ein
Kleid.
Es ist ein neues
Kleid.

Dieses Kleid ist
nicht neu.
Es ist ein altes
Kleid.

Ich werde
eine neue
Pfeife
kaufen.

Das ist eine Pfeife.
Es ist eine neue
Pfeife.

Das ist eine alte
Pfeife.

Frau Schmidt kauft
ein neues Kleid.
Sie ist in einem Kaufhaus.
Die Frau im Kaufhaus
hat zwei Kleider
in den Händen.

Das ist ein Kaufhaus.

Im Fenster des
Kaufhauses sind
Kleider, Hüte und
Schuhe.

Das sind Schuhe.
Es sind Frauenschuhe.

Ein Strumpf.

Ein Strumpf.

Das sind Handschuhe.

Das sind Strümpfe.

Kleider, Strümpfe,
Schuhe und Handschuhe
sind Kleidungsstücke.

FRAGEN   Was sehen Sie?

a.

b.

c.

d.

e.

f.

g.

h.

Die Antworten auf diese Fragen sind auf Seite 85

FRAGEN   Was sehen Sie?

a.

b.

c.

KAUFHAUS

d.

Die Antworten auf diese Fragen sind auf Seite 85.

Antworten auf die Fragen von Seite 83-84.

Seite 83

a. Ich sehe ein Schlüsselloch.

b. Ich sehe Schuhe.

c. Ich sehe Geld.

d. Ich sehe eine Flasche und ein Glas.

e. Ich sehe eine Pfeife.

f. Ich sehe einen Teller und einen Löffel.

g. Ich sehe Handschuhe.

h. Ich sehe Strümpfe.

Seite 84

a. Ich sehe einen Mann und eine Frau.
Sie sind bei Tisch.
Sie haben einen Löffel in der Hand.

b. Ich sehe einen Mann.
Er ist auf der Strasse.
Der Wind nahm seinen Hut.

c. Ich sehe zwei Frauen.
Sie sind in einem Kaufhaus.
Die eine Frau hat zwei Kleider in den Händen.
Die andere Frau kauft ein neues Kleid.

d. Ich sehe einen Mann.
Er hat zwei Stühle in den Händen.
Er geht mit den Stühlen zum Tisch.

Das ist ein Baum. ↓

Das ist ein
Zweig →
des Baumes.

Das ist
ein Apfel. →
Er ist am
Zweig.

Das ist Anna Schmidt.
Sie hat einen Korb
in der Hand.
Sie wird den Apfel
vom Zweig nehmen.

Jetzt nimmt
sie den Apfel
vom Zweig.

Sie hat ihn
in der Hand.

Jetzt tut sie
den Apfel in
den Korb.

Sie hat den Korb
in der Hand.

Der Apfel ist im
Korb.

Sie tat ihn dorthin.
Jetzt ist er dort.

Der Apfel war am
Zweig. Anna nahm ihn
vom Zweig und tat ihn
in den Korb.

Jetzt ist er im Korb.

Wann war der Apfel
am Zweig?
Er war am Zweig,
bevor Anna ihn
vom Zweig nahm.

Wann nahm sie ihn vom
Zweig?
Sie nahm ihn vom
Zweig, bevor sie ihn in
den Korb tat.

Wann tat sie den
Apfel in den Korb?

Sie tat ihn in den
Korb, bevor sie den
Korb wieder in die
Hand nahm.

Wann hatte sie den
Apfel in der Hand?

Sie hatte ihn in der
Hand, bevor sie ihn
in den Korb tat.

Das ist eine Schachtel.

Das sind die Seiten der
Schachtel.

Das ist die Vorderseite
der Schachtel.

Das ist die Rückseite
der Schachtel.

Das ist ein Haus.

Das ist die Vorderseite
des Hauses.

Das ist die Vordertür
des Hauses.

Das ist ein Rock.

Das ist die Vorderseite
des Rocks.

Das sind die Ärmel
des Rocks.

Das sind die Seiten
des Rocks.

Und das ist der
Rücken des Rocks.

Das sind die Arme
eines Mannes.

Das sind seine Seiten.

Und das ist sein Rücken.

Wer ist das?
Das ist Frau Schmidt.
Ihr Name ist Helene
Schmidt.

Was ist das?
Was hat Frau Schmidt
in den Händen?

Sie hat ein Servierbrett
in den Händen.

Sie wird das
Servierbrett auf den
Tisch tun.

Jetzt tut sie das
Servierbrett auf
den Tisch.

Das Servierbrett
ist auf dem Tisch.
Frau Schmidt hatte
es in den Händen.

Hier ist das
Servierbrett.

Was ist auf dem
Servierbrett?

Das sind Gläser.

Was sind das?
Das sind Gabeln.

Was ist das?
Das ist ein
Messer.

Was sind das?
Das sind zwei
andere Messer.

Gläser, Gabeln und
Messer sind Dinge.

Was sind das?
Das sind Löffel.

Was ist das?
Das ist ein Löffel.

Was ist das?
Das ist ein Teller.

Das sind drei
andere Teller.

Löffel und Teller sind
Dinge.

Frau Schmidt nimmt
ein Messer und eine
Gabel vom Servierbrett.

Sie tut das Messer
und die Gabel auf
den Tisch.

Jetzt tut sie die
Teller auf den Tisch.

Jetzt sind die Teller,
Messer, Gabeln, Löffel
und Gläser auf dem
Tisch.
Frau Schmidt tat sie
dorthin.

Frau Schmidt wird
vom Tisch zur Tür
gehen.

Sie geht zur Tür.
Die Tür ist
geschlossen.

Sie ging aus dem
Zimmer.
Jetzt ist die Tür
offen.
Sie war geschlossen.

Frau Schmidt ist
nicht im Zimmer.
Sie war im Zimmer.
Sie ging aus dem
Zimmer.

Was ist das?
Es ist ein Messer.

Was ist das?

Was ist das?

Was ist das?

Was sind das?

Was ist das?

Was ist das?

Was ist das?

Was ist das?

Was sind das?

Was ist das?

Was ist das?

Was ist das?

Was sind das?

Frau Schmidt macht
eine Suppe.

Das ist ein Teller
Suppe.

Sie wird die Suppe
aus Milch und
Kartoffeln machen.

Das sind Kartoffeln.

Das ist eine
Flasche Milch.
Es ist Kuhmilch.

Das ist eine Kuh.

Kühe sind Tiere.
Hier sind einige
andere Tiere:

ein Schwein,

ein Schaf,

ein Pferd.

Kühe geben Milch.
Frau Schmidt tut die
Milch aus der Flasche
in eine Tasse.

Das ist eine Tasse.

Der Apfel ist auf der Erde.

Das ist eine Pflanze.

Das sind ihre Wurzeln.
Kartoffeln sind Pflanzen.
Die Kartoffeln sind in der Erde.

Das ist eine Gabel.

Die Kartoffel ist in der Erde.
Kartoffeln sind Pflanzen.

Wir nehmen die Kartoffeln mit einer Gabel aus der Erde.

Das ist eine Pflanze.

Das ist ihre Blüte.

Das sind ihre Blätter.

Das sind ihre Früchte.

Das ist ein Zweig.

Das ist ihr Stiel.

Das sind ihre Wurzeln.

Das sind Wurzeln anderer Pflanzen.

Frau Schmidt macht die Suppe.

Das ist ein Topf.

Das ist der Deckel des Topfes.

Frau Schmidt wird die Suppe in diesem Topf machen.

Sie tat die Kartoffeln in den Topf.
Jetzt sind sie im Topf.
Aus dem Topf kommt Dampf.

Das ist Dampf.

Das ist eine Flamme.

Der Topf ist auf der Flamme.
Die Flamme ist unter dem Topf.

Aus der Flasche
kommt Dampf.
Das Wasser in dieser
Flasche ist sehr warm.

Das ist Eis.

Die Flamme ist unter
der Flasche.

Das Eis ist im
Wasser.
Eis ist kalt.
Es ist kalt und
hart.

Das ist Eis.

Das ist ein Stück Eis.

Flammen sind warm.

Eis ist
kalt.

Das ist ein →
Thermometer.

Das ist eine Uhr.

Die Uhr hat zwei Zeiger.

Der grosse Zeiger
ist der Minutenzeiger.
Die Minute ist ein
Zeitmass.
Der kleine Zeiger
ist der Stundenzeiger.
Die Stunde ist ein
Zeitmass.

Das ist ein
Thermometer.
Das Thermometer
hat Grade.

Das ist ein
Grad.

Warm.

Kalt.

Sehr kalt.

Der Grad ist ein
Wärmemass.

Das ist ein Meter.
Das Meter ist ein
Längenmass.

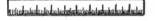

Ein Meter hat hundert
(100) Zentimeter (cm).

Ein Meter = 100 cm.

Das ist Frau Schmidts
Fuss.

Das sind ihre
Füsse.

Das ist Herrn Schmidts
Fuss.
Er ist dreissig Zentimeter
(30 cm) lang.

Das ist ein Vogel.
Er ist auf dem Baum.

Die andern zwei
Vögel sind nicht
auf dem Baum.
Sie sind in der Luft.

Das ist ein Flugzeug.
Es ist in der Luft.

Das sind andere
Flugzeuge.

Diese Flugzeuge sind
nicht in der Luft.

Das ist das Gesicht
eines Mannes.

Die Luft geht
durch die Nase
und durch
den Mund in
seinen Körper.

Die Luft kommt
wieder aus seinem
Körper heraus.
Sie geht hinein.
Sie kommt heraus.

Das ist sein Atem.

Jetzt kommt
die Luft aus
seinem Mund
heraus.
Sie ist warm.

Wenn die Luft
herauskommt, ist
sie warm.

Er hat die
Hand vor
dem Mund.

Sein Atem
ist warm.

Das Wasser im Topf
ist sehr warm.
Dampf kommt aus
dem Topf.

Die Luft über der
Flamme ist sehr warm.
Sie geht hinauf.

Die Luft unter der
Flamme ist nicht
sehr warm.
Sie geht hinauf
zur Flamme.

Das ist ein Eisschrank.
Die Luft im Eisschrank
ist kalt.

Das ist der Eisschrank.
Die Tür des Eisschranks
ist geschlossen.

Das ist
eine Flasche
Milch.

Das sind
Eier.

Die Milch und die Eier
sind im Eisschrank.
Die Luft im Eisschrank
ist kalt.

Die Wände und der
Boden des Eisschranks
sind dick.

Warme Luft | | Warme Luft

Das ist eine dünne Linie.

_____

Das ist eine dicke Linie.

━━━━━━━━━━━

Die Luft im Eisschrank
ist kalt.
Die warme Luft geht
nicht in den Eisschrank.

Herr Schmidt hat
ein Glas in der Hand.
Er hat kalte Milch
im Glas.

Diese Milch ist nicht
gut.

Herr Schmidt ist nicht
froh.

Die Milch ist gut.
Herr Schmidt ist froh.

Das ist Fleisch.

Das ist Brot.

Das ist ein Stück Brot.

Das ist Käse.

Das ist Butter.

Das ist ein Stück Käse.

Wir machen Käse aus
Milch.
Kühe geben uns Milch.

Die Butter ist
auf dem Teller.
Wir machen Butter
aus Milch.
Frau Schmidt hat die
Butter und die Milch
im Eisschrank.
Sie hat auch den
Käse dort.

Das sind Äpfel.

Das sind Orangen.

Äpfel und Orangen
sind Obst.

Wieviel Uhr ist es?

Es ist fünf (5) Uhr.
Es ist fünf.

Frau Schmidt wird die
Suppe machen.

Wieviel Uhr ist es?

Es ist fünf Uhr dreissig
(5:30).
Frau Schmidt macht die
Suppe.

Es ist fünf Uhr vierzig
(5:40).

Die Kartoffeln sind
im Topf.
Frau Schmidt hat eine
Gabel in der Hand.

Die Kartoffeln
sind hart.
Die Gabel geht
nicht durch.

Es ist fünf Uhr
fünfzig (5:50).
Sind die Kartoffeln
hart?

Nein, sie sind nicht
hart.
Sie sind weich.

Die Gabel geht durch
die Kartoffel.

Frau Schmidt nimmt
die Kartoffeln aus
dem Topf und tut
sie auf einen Teller.

Die Kartoffeln sind
auf dem Teller.

Sie waren im Topf.
Sie waren hart.
Jetzt sind sie weich.

Frau Schmidt tat Milch
und Butter in die
Kartoffeln.
Jetzt sind sie sehr
weich.

Brot ist weich.

Fleisch ist weich.

Glas ist hart.

Butter ist weich.

Herr Schmidt hat ein
Stück Käse zwischen
den Fingern.

Er tut das Stück
Käse in den Mund.

Jetzt hat er das
Stück Käse zwischen
den Zähnen.

Das ist sein Mund.

Dieser Käse ist
nicht weich.

Er ist hart.

Das ist ein Zahn.

Das sind Zähne.

Herrn Schmidts Zähne
gehen nicht durch.

Frau Schmidt tat
die Kartoffeln, die
Milch und andere
Dinge in den Topf.

Das ist Salz.

Der Topf ist auf
der kleinen Flamme.

Der Deckel ist auf
dem Topf.

Die kleine Flamme
ist unter dem Topf.

Diese Flamme ist klein.

Diese Flamme ist gross.

Dieses Gebäude ist
gross.

Dieses Gebäude ist
klein.

Wieviel Uhr ist es?
Es ist sechs (6).

Frau Schmidt nimmt
einen Löffel Suppe
in den Mund.
Die Suppe ist fertig.
Sie ist gut.

Jetzt tut sie die
Suppe in die Teller.

Sie war im Topf.

Jetzt ist sie in den
Tellern.

Frau Schmidt machte
die Suppe.
Sie tat sie in die Teller.
Sie tat die Teller
mit der Suppe auf
den Tisch.

Die Teller sind auf
dem Tisch.
Die Suppe ist fertig.
Es ist gute Suppe.

Suppe Milch

Kartoffeln

Brot

Fleisch

Butter

Käse

Äpfel und Orangen

sind Nahrungsmittel.
Es sind verschiedene
Arten von
Nahrungsmitteln.

Ein Apfel.

Eine Orange.

Äpfel und Orangen
sind Obst.
Es sind verschiedene
Obstarten.

Das sind verschiedene
Arten von Gläsern.

Das sind verschiedene
Arten von Schachteln.

Gläser, Schachteln,
Kleider und Schuhe
sind Dinge.
Es sind verschiedene
Dinge.

Kühe

Schafe

Schweine

Pferde

und Ziegen

sind Tiere.
  Es sind verschiedene
  Arten von Tieren.

Das sind verschiedene
Pflanzenarten.

 Das ist das
Blatt einer
Pflanzenart.

Das ist das
Blatt einer andern
Pflanzenart.

Diese Körbe sind gleich.

Diese Körbe sind
nicht gleich.
Sie sind verschieden.

Diese Körbe sind gleich.

Diese Körbe sind
verschieden.

Diese Teller sind gleich.

Diese Teller sind
verschieden.

Diese Gläser
sind gleich.

Diese Gläser
sind verschieden.

Hier sind eine Frau
und ein Junge: Frau
Schmidt und Wilhelm
Schmidt.

Hier sind eine Frau
und ein Mädchen: Frau
Schmidt und Anna
Schmidt.

Der Junge ist der
Sohn der Frau.
Die Frau ist die
Mutter des Jungen.

Das Mädchen ist die
Tochter der Frau.
Die Frau ist die
Mutter des Mädchens.

Hier sind ein Mann
und ein Junge.

Hier sind ein Mann
und ein Mädchen.

Der Junge ist der
Sohn des Mannes.
Der Mann ist der
Vater des Jungen.

Das Mädchen ist die
Tochter des Mannes.
Der Mann ist der
Vater des Mädchens.

Das Mädchen ist die
Schwester des Jungen.

Der Junge ist der
Bruder des Mädchens.
Er ist ihr Bruder.

Dieser Mann und diese
Frau

Dieser Junge hat einen
Bruder und drei
Schwestern.

haben zwei
Söhne

Dieses Mädchen hat
zwei Brüder und zwei
Schwestern.

und drei
Töchter.

Das ist eine Familie.

Hier sind Frau Schmidt,
ihre Tochter Anna und
ihr Sohn Wilhelm.

Sie sind bei Tisch.
Die Suppenteller sind
vor ihnen.
Sie haben
Kartoffelsuppe in
den Tellern.

Kartoffelsuppe ist
eine dicke Suppe.
Sie ist nicht klar.
Dicke Suppe und klare
Suppe sind zwei
verschiedene
Suppenarten.

Das Wasser in
diesem Glas
ist klar.
Wir sehen
durch.

Wenn das Wasser klar
ist, sehen wir durch.

Milch ist
nicht klar.
Wir sehen
nicht durch.

Die Luft ist klar.
Ich sehe die Berge.

Wenn die Luft nicht
klar ist, sehe ich
die Berge nicht.

Diese Suppe ist klar.
Wir sehen den Löffel
durch die Suppe.

Kartoffelsuppe ist
eine dicke Suppe.
Wir sehen den Löffel
nicht.

Wer ist das?

Das ist Frau Schmidt.
Sie machte die Suppe.

Das ist die Suppe.
Frau Schmidt machte
sie.
Das ist die Suppe,
die Frau Schmidt
machte.

Das ist eine
Flasche Milch.

Frau Schmidt tat die
Milch aus dieser Flasche
in die Suppe.
Das ist die Milch, die
Frau Schmidt in die
Suppe tat.

Das sind Kartoffeln.
Frau Schmidt tat sie
in die Suppe.
Das sind die Kartoffeln,
die Frau Schmidt in
die Suppe tat.

Das ist ein Topf.
Frau Schmidt machte
die Suppe in diesem
Topf.

Das ist der Topf,
in dem Frau Schmidt
die Suppe machte.

Das sind Teller.
Die Suppe war in
diesen Tellern.

Das sind die Teller,
in denen die Suppe
war.

Das ist ein Löffel.
Er war in der Suppe.

Das ist der Löffel,
der in der Suppe war.

117

FRAGEN

a. Wieviel Uhr ist es?

b. Was sind das?

c. Was ist das?

d. Was sind das?

e. Was sind das?

f. Was ist das?

g. Was ist das?

h. Was ist das?

Die Antworten sind auf Seite 120.

FRAGEN

a. Was ist das?

b. Was ist das?

c. Was sind das?

d. Was ist das?

e. Was ist das?

f. Was ist das?

g. Was ist das?

h. Was ist das?

Die Antworten sind auf Seite 120.

FRAGEN

a. Das ist eine Familie.

Was sehen Sie?

b. Das ist eine Pflanze.

Welche Teile der
Pflanze sehen Sie?

c. Das ist ein
Eisschrank.

Was sehen Sie im
Eisschrank?

d. Das ist ein Hund.

Welche Teile des
Hundes sehen Sie?

e. Was sehen Sie?

f. Was sehen Sie?

g. Was sehen Sie?

h. Was sehen Sie?

Die Antworten sind auf Seite 120.

Antworten auf die Fragen von Seite 117-119.

Seite 117

a. Es ist vier Uhr zweiundvierzig (4:42).

b. Das sind Äpfel.

c. Das ist ein Topf.

d. Das sind Blätter.

e. Das sind Wurzeln.

f. Das ist eine Flasche Milch.

g. Das ist Butter.

h. Das ist Brot.

Seite 118

a. Das ist ein Stück Käse.

b. Das ist eine Tasse.

c. Das sind Flammen.

d. Das ist ein Pferd.

e. Das ist ein grosses Gebäude.

f. Das ist eine Schachtel.

g. Das ist ein Schwein.

h. Das ist ein Schaf.

Seite 119

a. Ich sehe den Vater, den Sohn, die Mutter und die Tochter.

b. Ich sehe ihre Wurzeln, ihren Stiel, ihre Blätter und ihre Blüte.

c. Ich sehe eine Flasche Milch, vier Eier und zwei Wurzeln.

d. Ich sehe seinen Kopf, seine Ohren, seine Augen, seinen Körper, seine Beine und seinen Schwanz.

e. Ich sehe eine Kuh.

f. Ich sehe einen Apfel und einen Korb.

g. Ich sehe eine Frau. Sie hat einen Löffel in der Hand.

h. Ich sehe einen Mann. Er hat ein Glas in der Hand.

FRAGEN

a. Wo sind diese Frauen?

Was hat diese Frau in den Händen?

b. Was sind das?

c. Was macht Anna?

Wo ist der Apfel?

d. Wird sie den Apfel in den Korb tun? Wo war er, bevor sie ihn nahm?

e. Geben Sie die Namen verschiedener Arten von Nahrungsmitteln.

f. Geben Sie die Namen verschiedener Arten von Tieren.

g. Geben Sie die Namen verschiedener Obstarten.

h. Geben Sie die Namen verschiedener Personen.

Die Antworten sind auf Seite 124.

FRAGEN

a. Das ist ein Teller
Kartoffelsuppe.

Ist Kartoffelsuppe
eine klare Suppe?

Sehen Sie den Löffel
durch die Suppe?

b. Was sehen Sie durch
dieses Fenster?

---

c. Ist Glas hart?

d. Ist Fleisch weich?

---

e. Ist Eis warm?

f. Sind Flammen kalt?

---

g. Sind diese Eier
gleich?

Sind diese
Schachteln
verschieden?

h. Was macht sie?

Die Antworten sind auf Seite 125.

FRAGEN

a. Was sehen Sie?

b. Was sehen Sie unter dem Hut?

c. Was haben sie in den Händen?

d. Was sind das?

e. Was tun wir in den Eisschrank?

f. Geben Sie die Namen von zehn verschiedenen Dingen, die Sie in einem Haus sehen.

Die Antworten sind auf Seite 125.

Antworten auf die Fragen von Seite 121.

a. Sie sind in einem
Kaufhaus.
Sie hat zwei Kleider
in den Händen.

b. Das sind Schuhe,
Strümpfe und
Handschuhe.

c. Anna nimmt einen
Apfel vom Zweig.
Der Apfel ist am
Zweig.

d. Ja, sie wird ihn
in den Korb tun.
Bevor sie ihn nahm,
war er am Zweig.

e. Brot, Butter, Milch,
Käse, Fleisch, Eier,
Äpfel und Orangen
sind verschiedene
Arten von
Nahrungsmitteln.

f. Kühe, Schweine,
Schafe, Ziegen,
Hunde und Pferde
sind verschiedene
Arten von Tieren.

g. Äpfel und Orangen
sind zwei
verschiedene
Obstarten.

h. Männer und Frauen,
Jungen und Mädchen
sind verschiedene
Personen.

Antworten auf die Fragen von Seite 122-123.

Seite 122

a. Nein, Kartoffelsuppe ist eine dicke Suppe. Nein, ich sehe ihn nicht.

b. Ich sehe ein Haus und Berge.

c. Ja, Glas ist hart.

d. Ja, Fleisch ist weich.

e. Nein, Eis ist nicht warm. Es ist kalt.

f. Nein, Flammen sind nicht kalt. Sie sind warm.

g. Ja, sie sind gleich. Ja, sie sind verschieden.

h. Sie tut Salz in die Suppe.

Seite 123

a. Ich sehe einen Mann. Er ist auf der Strasse. Sein Hut ist in der Luft. Der Wind nahm ihn.

b. Ich sehe Geld unter dem Hut.

c. Sie haben Gläser in den Händen.

d. Das sind eine Uhr und ein Thermometer.

e. Wir tun Milch, Butter, Käse und Eier in den Eisschrank.

f. In einem Haus sehen wir: Zimmer, Fenster, Türen, Tische, Stühle, Schachteln, Uhren, Bücher, Bilder und verschiedene andere Dinge.

Das ist ein Zimmer.
Es ist ein Schlafzimmer.

In diesem Schlafzimmer
sind zwei Betten.

Ein Stuhl ist beim
Bett.

Was ist auf dem Stuhl?

Eine Reisetasche.

Eine Frau ist vor dem
Stuhl.
Wer ist es?

Es ist Frau Schmidt.

Was macht sie?

Ist das Frau Schmidts
Reisetasche?

Sie tut verschiedene
Dinge in die Reisetasche.

Nein, es ist Herrn
Schmidts Reisetasche.

Herr Schmidt wird eine
Reise nach Hamburg
machen.

Er wird die Reise mit
dem Zug machen.

Jetzt sind Herr und Frau
Schmidt in München.
Sie haben ein Haus
in München.

Das ist ein Zug.
Die Reise von München
nach Hamburg ist lang.

Was wird Herr Schmidt
für die Reise
mitnehmen?

Er wird zwei Hemden
mitnehmen.

Er wird seine neuen
Socken mitnehmen.

Löcher ↗

Er wird seine alten
Socken nicht
mitnehmen.
Die alten Socken haben
Löcher.

Neue Socken haben
keine Löcher.

Das ist eine Hose.

Ein
↙ Loch

Diese Hose hat ein
Loch.
Es ist eine alte Hose.

Er wird Schuhe
mitnehmen.

Er wird sie in einen
Schuhsack tun.

Das ist ein Schuhsack.
Er ist rein.

Die Schuhe sind im
Schuhsack.
Der Schuhsack ist
rein.

Die Schuhe werden das
Hemd nicht schmutzig
machen.

Diese Hände sind rein.

Diese Hände sind
schmutzig.

Dieses Tuch ist
schmutzig.

Dieses Tuch ist rein.

Dieser Teller ist rein.

Dieser Teller ist schmutzig.

Sein Gesicht ist schmutzig.

Sein Gesicht ist rein.

Der Teller ist schmutzig, aber das Tuch ist rein.

Jetzt ist das Tuch schmutzig, aber der Teller ist rein.

Das ist ein Becken. Es
ist ein Waschbecken.

Das ist Seife.

Das Wasser im
Waschbecken ist warm.

Was macht sie?

Sie wäscht sich die
Hände.
Sie wäscht sie mit
Seife und Wasser.

Jetzt sind ihre Hände
nass, aber sie sind rein.
Sie waren schmutzig.

Sie hat ein Tuch in
den Händen.
Es ist ein Handtuch.

Ihre Hände waren nass.

Sind ihre Hände jetzt
nass?
Nein, sie sind nicht nass.
Sie sind trocken.

Jetzt sind sie trocken.
Sie waren schmutzig.
Jetzt sind sie rein.

Was ist das?
Das ist eine Bürste.
Es ist eine Zahnbürste.

Sie tut Zahnpasta
auf die Zahnbürste.

Was ist das?

Das ist Zahnpasta.

Jetzt bürstet sie
sich die Zähne.

Ihre Zähne werden
rein und weiss sein.

Was ist das?
Es ist ein Kamm.

Und das?

Das ist eine Bürste.
Es ist eine Haarbürste.

Sie bürstet sich das
Haar.

Er bürstet sich das
Haar mit zwei
Haarbürsten.

Das sind Nadeln.

Das ist eine Nähnadel.

Das ist eine Stecknadel.

Das ist eine Haarnadel.

Diese zwei Stecknadeln
sind gleich.

Diese drei Haarnadeln
sind nicht gleich.
Sie sind verschieden.

Was hat sie in der
Hand?

Eine Haarnadel.
Sie tut sie ins Haar.

Wo ist die Haarnadel
jetzt?

Sie ist im Haar der
Frau.

Das ist Herrn Schmidts
Reisetasche.

Was ist in der
Reisetasche?

Das ist die Reisetasche,
die Herr Schmidt
mitnehmen wird.

Was tat Frau Schmidt
in die Reisetasche?

Sie tat Hemden, Socken,
Schuhe, Bürsten,
Kämme, Zahnpasta und
Seife in die Reisetasche.

Sie tat alle diese
Dinge in Herrn Schmidts
Reisetasche.

Herr Schmidt wird
zum Bahnhof gehen.
Er hat seine Reisetasche
in der Hand.

Das ist der Bahnhof.
Es ist acht Uhr (8:00).

Er nimmt ein Taxi.
Das Taxi wird um
8 Uhr am Bahnhof sein.

Das Taxi ist am
Bahnhof.

Sehen Sie Herrn
Schmidt?
Er war im Taxi.

Jetzt geht er in den
Bahnhof.

Er wird in den Bahnhof
gehen.

Das ist der Warteraum
des Bahnhofs.

Männer und Frauen
sind im Warteraum.
Herr Schmidt ist auch
im Warteraum.
Sein Zug wird um
8:30 (acht Uhr dreissig)
im Bahnhof sein.

Sein Zug ist hier.

Das ist die Lokomotive
des Zuges.

Das ist
die Glocke
der
Lokomotive.

Die Glocke der
Lokomotive ist gross.

Diese Glocke ist
klein.
Es ist eine Tischglocke.

Das ist der Schalter.
Es ist ein
Fahrkartenschalter.

Der Mann am Schalter
hat die Fahrkarten.
Herr Schmidt kaufte
seine Fahrkarte hier.

Das ist seine Fahrkarte.

Der Preis seiner
Fahrkarte war 77 DM
(siebenundsiebzig
Deutsche Mark).

Das sind Fahrkarten.

Was war der Preis
seiner Fahrkarte?

77 DM.
77 DM ist viel Geld.

JANUAR		
SONNTAG	1	8
MONTAG	2	9
DIENSTAG	3	10
MITTWOCH	4	11
DONNERSTAG	5	12
FREITAG	6	13
SAMSTAG	7	14

Herr Schmidt wird Montag in
Hamburg sein.
Samstag wird er wieder in
München sein. Er wird vier
Tage in Hamburg sein. Hier
sind die Tage der Woche:
Sonntag, Montag, Dienstag,
Mittwoch, Donnerstag, Frei-
tag, Samstag (oder Sonn-
abend).

Eine Woche hat sieben Tage.

Bevor Herr Schmidt zum
Bahnhof ging, sagte er
zu seiner Frau: „Ich
werde Geld
mitnehmen."

Wieviel Geld nahm er
für die Reise mit?
Er nahm 600 DM
(sechshundert Deutsche
Mark) mit.
Das ist viel Geld.

600 DM—viel Geld.
  2 DM—wenig Geld.

Jetzt ist Herr Schmidt
in Hamburg.
Er hat Freunde in
Hamburg.

Seine Freunde sind
am Bahnhof.
Herr Schmidt wird
seinen Freunden die
Hand geben.

Er gibt seinen
Freunden die Hand.

Herr   Seine
Schmidt—   Freunde.

Seine Freunde sagen:
„Guten Tag, Herr
Schmidt! Hatten Sie
eine gute Reise?"

Herr Schmidt sagt:
„Ja, aber es war eine
lange Reise."

Sein Freund sagt:
„Geben Sie mir Ihre
Reisetasche, Herr
Schmidt."

Seine Freunde haben
ein Haus in Hamburg.
Herr Schmidt wird mit
ihnen dorthin gehen.

Herr Schmidt ist
im Haus seiner
Freunde.
Er schreibt einen Brief.

Er hat eine Feder
in der Hand.
Er schreibt an
Herrn Müller.

Hier ist der Brief:

Hamburg, den 2. Januar
19.......
Lieber Herr Müller!
 Ich bin in Hamburg. Ich
werde Samstag, den 7.
Januar, wieder in München
sein.

Mit besten Grüssen
Ihr
Josef Schmidt

Jetzt ist der Brief
im Briefumschlag.
Das ist der
Briefumschlag.

Das ist
eine
Briefmarke.

Herrn Müllers Name
und Adresse sind auf
dem Briefumschlag.
Seine Adresse ist:
München
Ludwigstrasse 36.
(sechsunddreissig)

Das ist die Rückseite
des Briefumschlags.

Herrn Schmidts Name
und seine Adresse in
Hamburg sind auf der
Rückseite des
Briefumschlags.

Jetzt schreibt
Herr Schmidt eine
Postkarte an
seine Frau.
Auf der Vorderseite
der Karte ist ein Bild
des Hamburger Hafens.
Hier ist das Bild
des Hafens.

Das ist die Rückseite
der Postkarte.

Herr Schmidt schreibt
Frau Schmidts Namen
und Adresse auf die
rechte Seite der
Postkarte.

Jetzt ist die Postkarte
fertig.

Frau Schmidts
Adresse ist:
München 23
Wilhelmstrasse 3.
In Deutschland
schreiben wir den
Namen der Strasse
unter den Namen
der Stadt.

Jetzt ist Herr Schmidt
auf der Post.

Er geht die Treppe
hinauf.
Er wird die Postkarte
in den Briefkasten tun.
Wir tun Postkarten und
Briefe in den Briefkasten.

Frau Schmidt bekam
Herrn Schmidts
Postkarte aus Hamburg.

Sie liest die Postkarte.
Sie liest: „Ich hatte
eine gute Reise. . . ."

Lesen und Schreiben
sind ein Teil unserer
Bildung. Wir bekommen
einen grossen Teil
unserer Bildung in
der Schule.

Diese Jungen und
Mädchen sind in der
Schule.
Sie lesen und schreiben.

Es ist 8 Uhr.
Wilhelm und Anna
gehen in die Schule.

Frau Schmidt sagt:
„Auf Wiedersehen,
Kinder!"

Jetzt sind Wilhelm und
Anna in der Schule.
Wilhelm schreibt ein
Wort.

Er schreibt das Wort
„Bildung."

Es ist 5 Uhr. Wilhelm und Anna sind wieder zu Hause. Sie sind mit ihrer Mutter im Zimmer.

Wilhelm schreibt am Tisch.
Die Mutter liest die Zeitung.
Anna liest ein Buch.

Jetzt liest Frau Schmidt mit ihren Kindern ein Buch. Es ist ein gutes Buch.

Wilhelm und Anna bekommen einen Teil ihrer Bildung in der Schule und einen Teil zu Hause.

Jetzt schreibt Frau Schmidt einen Brief an Herrn Schmidt. Hier ist der Brief:

München, den 3. Januar
19........
Lieber Josef!
    Wir sind alle zu Hause. Die Kinder lesen. Wilhelm wird auch einen Brief schreiben. Ich . . .

Frau Schmidt geht zum Briefkasten.

Sie wird den Brief in den Briefkasten tun.

Sie tut ihn in den Briefkasten.

Jetzt ist er im Briefkasten.

Frau Schmidt geht nach Hause.

FRAGEN

a. Was sind das?

Der Junge hat
einen Schuh am
Fuss.
Wo ist der andere
Schuh?

b. Was sind das?

Was macht
dieser
Mann?

c. Was ist das?

Und das?

Was macht Anna?

d. Was ist das?

Was macht diese
Frau?

Die Antworten sind auf Seite 152.

FRAGEN

a. Wo kaufte Herr Schmidt seine Fahrkarte? (Seite 137)

b. Wieviel Geld nahm Herr Schmidt für die Reise mit?

c. Ist die Reise von München nach Hamburg eine lange Reise?

d. Waren Herrn Schmidts Freunde am Bahnhof?

e. Was sagten seine Freunde?

f. Schrieb Herr Schmidt einen Brief an seine Frau?

g. Was machen Wilhelm und Anna in der Schule?

h. Schrieb Frau Schmidt eine Postkarte an Herrn Schmidt?

Die Antworten sind auf Seite 152.

Dieser Teller ist rund.
Seine Form ist rund.

Diese Orange
ist rund.

Diese Uhr ist
auch rund.

Das ist die Erde.

Sie ist rund.

Die Form der Erde
ist rund.

Das ist der Mond.

Der Mond ist rund.

Das ist die Sonne.

Das ist
der
Himmel.

Das ist eine Wolke.

Das ist die Erde.

Die Sonne geht im
Osten auf.

Die Sonne geht jeden
Morgen auf.

Die Sonne geht im
Westen unter.

Sie geht jeden Abend
unter.

Wieviel Uhr ist es?
Es ist fünf Uhr acht
Minuten (5:08) morgens.

Die Sonne geht auf.

Wieviel Uhr ist es?
Es ist acht Uhr
zwanzig Minuten
(8:20) abends.

Die Sonne geht unter.

Heute ist Freitag.
Morgen ist Samstag.
Gestern war
Donnerstag. Gestern
ging die Sonne um
fünf Uhr sieben Minuten
(5:07) auf und um acht
Uhr neunzehn Minuten
(8:19) unter.
Heute ging die Sonne
um fünf Uhr acht
Minuten (5:08) auf und
um acht Uhr zwanzig
Minuten (8:20) unter.

Es ist Nacht.

Ein Stern ist am Himmel.

Es ist Tag.

Die Sonne geht auf.

Norden

Westen Die Erde Osten

Süden

Osten, Westen, Süden
und Norden sind die
vier Himmelsrichtungen.

Ein Tag hat 24
(vierundzwanzig)
Stunden.
Eine Stunde hat 60
(sechzig) Minuten.
Eine Minute hat 60
(sechzig) Sekunden.

Wieviel Tage hat
eine Woche?
Eine Woche hat 7
(sieben) Tage.

Das sind Zahlen:
1, 2, 3, 4, 5, 6, 7, 8, 9,
10, 11, 12.
Welche Zahl kommt
nach 12?
Dreizehn (13).
Welche Zahl kommt
nach 13?
Vierzehn (14).

Welche Zahlen kommen
nach 14?

fünfzehn 15
sechzehn 16
siebzehn 17
achtzehn 18
neunzehn 19
zwanzig 20

zwanzig	20	hundert	100
einundzwanzig	21	hundertundeins	101
dreissig	30	hundertzehn	110
einunddreissig	31	hundertzwanzig	120
vierzig	40	zweihundert	200
einundvierzig	41	dreihundert	300
fünfzig	50	vierhundert	400
sechzig	60	tausend	1.000
siebzig	70	eine Million	1.000.000
achtzig	80		
neunzig	90		

WAS SEHEN SIE HIER?

a.

b.

c.

d.

e.

f.

g.

h.

i.

j.

k.

l.

o.

n.

m.

q.

p.

r.

s.

t.

u.

v.

w.

x.

y.

z.

Die Antworten sind auf Seite 153.

FRAGEN

a. Was macht dieser Mann?

b. Was macht diese Frau?

c. Was macht diese Frau?

d. Was hat dieser Mann in den Händen?

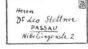

e. Schreiben wir in Deutschland den Namen der Strasse über den Namen der Stadt?

f. Wieviel Stunden hat ein Tag? Wieviel Tage hat eine Woche?

Die Antworten sind auf Seite 153.

Antworten auf die Fragen von Seite 144-145.

Seite 144

a. Das sind Schuhe.
Der andere Schuh
ist auf dem Boden.

b. Das sind Hemden.
Er tut sein Hemd
in die Reisetasche.

c. Das ist Zahnpasta.
Das ist eine
Zahnbürste.
Sie bürstet sich die
Zähne.

d. Das ist Seife.
Sie wäscht sich die
Hände.

Seite 145

a. Herr Schmidt kaufte
seine Fahrkarte am
Fahrkartenschalter.

b. Er nahm 600 DM
für die Reise mit.

c. Ja, die Reise von
München nach
Hamburg ist eine
lange Reise.

d. Ja, sie waren am
Bahnhof.

e. Seine Freunde
sagten: ,,Guten Tag,
Herr Schmidt! Hatten
Sie eine gute Reise?''

f. Nein. Er schrieb
eine Postkarte an
seine Frau.

g. Sie schreiben und
lesen in der Schule.

h. Nein. Sie schrieb
einen Brief an Herrn
Schmidt.

Antworten auf die Fragen von Seite 150-151.

Seite 150

Wir sehen:

a. ein Bett

c. eine Socke

e. einen Schuh

g. eine Zahnbürste.

i. einen Schlüssel.

k. eine Haarnadel.

m. einen Stern

o. zwei Stecknadeln.

q. einen Zug

s. eine Briefmarke

u. eine Zeitung

w. ein Buch

y. eine Flasche

b. eine Reisetasche

d. einen Strumpf

f. eine Haarbürste

h. einen Kamm

j. ein Schlüsselloch

l. eine Gabel.

n. einen Teller

p. eine Feder

r. eine Postkarte

t. eine Flamme.

v. einen Haken

x. eine Glocke

z. einen Handschuh

Seite 151

a. Er schreibt
eine Postkarte.

c. Sie schreibt
Zahlen.

e. Nein. In Deutschland
schreiben wir den
Namen der Strasse unter
den Namen der Stadt.

b. Sie liest die Zeitung.

d. Er hat eine Reisetache
und eine Schachtel
in den Händen.

f. Ein Tag hat
vierundzwanzig Stunden.
Eine Woche hat
sieben Tage.

Das ist Wilhelm Schmidt.

Das ist Anna Schmidt. Anna ist Wilhelms Schwester.

Wilhelm hat eine Schachtel in der Hand.

Anna sagt: „Was machst Du, Wilhelm?"

Wilhelm sagt: „Ich mache ein Haus aus dieser Schachtel."

Das ist eine Schachtel.

Das ist eine Seite der Schachtel.

Das ist eine andere Seite der Schachtel.

Das ist die Vorderseite
der Schachtel.

Das ist die Rückseite
der Schachtel.

Das ist der Boden
der Schachtel.

Das ist der Deckel
der Schachtel.

Diese Seite wird eine
Wand des Hauses sein.

Hier wird ein Fenster
sein.

Das wird die andere
Wand des Hauses sein.

Hier wird ein anderes
Fenster sein.

Die Vorderseite der
Schachtel wird die
Vorderseite des Hauses
sein.

Ich werde eine Treppe
unter die Tür machen.

Das ist eine Treppe.

Anna sagt:
„Ein Haus hat
ein Dach.
Wirst Du ein Dach
auf das Haus
machen?"

Wilhelm sagt:
„Ja, ich werde ein
Dach aus dem Deckel
der Schachtel machen."

Aber der Deckel ist
nicht lang genug
für ein Dach.
Er ist zu kurz.

Wie lang ist der
Deckel?

Der Deckel ist nicht lang
genug für das Dach. Er ist nicht breit
genug für das Dach.

Das ist
die Form
des Daches.

Das Dach

Wie breit ist der
Deckel?

Wilhelm sagt: „Ich
werde das Dach aus
einem Stück Holz
machen."

Wir bekommen Holz
von Bäumen.

Das ist ein
Baum.

Das sind
seine
Wurzeln.

Das sind Bäume.

Verschiedene Bäume
haben verschiedenes
Holz.

Das Holz
dieses
Baumes
ist hart.

Das Holz
dieser
Bäume
ist
weich.

Wilhelm hat ein
Stück Holz.

„Was machst Du,
Wilhelm?"
„Ich nehme das Mass
von diesem Stück
Holz."

Das ist ein Mass.

**Dieses Stück Holz
ist länger und breiter.**

Der Deckel

breiter

länger

**Ich werde das Dach
aus diesem Stück
Holz machen.**

**Ich werde in dieses
Stück Holz einen
Schnitt machen.
Ich werde den Schnitt
unter diesem Winkel
machen.**

Ein Schnitt.

Das ist ein Winkel.

**Das ist auch ein
Winkel.**

**Das ist
ein rechter
Winkel.**

**Und das
ist ein
rechter
Winkel.**

Jetzt mache ich einen
Schnitt in dieses
Stück Holz.

Das ist mein Messer.

Die Messerklinge geht
durch das Holz.
Es ist weiches Holz.

Das ist die Klinge
des Messers.
Es ist eine
Messerklinge.

Ich mache eine Linie
auf das Stück Holz.
Ich mache sie mit
dem Bleistift.

Das ist mein
Bleistift.

Das ist die Linie.

Der Schnitt wird
auf der Linie sein.

O, der Schnitt ist nicht
auf der Linie!

Der Schnitt ist nicht
auf der Linie.

Er ist nicht auf der
Linie, weil Du dem Tisch
einen Stoss gabst.

O nein! Ich tat es nicht. Deine Messerklinge war nicht auf der Linie.

Ja, meine Messerklinge war nicht auf der Linie, weil Du dem Tisch einen Stoss gabst.

Mach einen andern Schnitt!

Wilhelm sagt: „Ja, ich werde einen andern Schnitt machen."

Hier ist die Linie. Und hier ist der Schnitt.

Eine gerade Linie.

Eine krumme Linie.

Wilhelm macht einen andern Schnitt.

Das ist besser. Die Messerklinge ist auf der Linie. Gut!

Jetzt habe ich zwei
Holzstücke.

Ich werde aus diesen
zwei Holzstücken das
Dach machen.

Das wird das Dach
des Hauses sein.

Jetzt werde ich hier
ein Loch durch das
Dach machen.

Der Nagel wird
hier durch das
Loch gehen.

Dieser Nagel
wird durch
das Loch gehen.

Das sind Nägel.

Das ist ein Hammer.

Jetzt macht Wilhelm
das Loch für den Nagel.

Er wird einen Hammer
nehmen.

Er gibt dem Nagel
einen Schlag mit dem
Hammer.

Jetzt sind zwei Nägel
im Dach.

Das Dach ist fertig.

Ist das Dach stark?

O ja, es
ist sehr
stark.

Ist dieses Stück Holz stark?

Dieses Stück Holz ist stärker.

Ist diese Linie kurz?

Diese Linie ist kürzer.

167

Hier sind zwei Stützen
für das Dach.

Anna sagt:
„Wirst Du eine andere
Stütze in die Mitte
machen?"

„Ja, ich werde eine
andere Stütze in die
Mitte machen.

Sie wird hier sein,

in der Mitte.

Ja, das ist besser!"

Das ist eine gerade
Linie.

Das ist   Das ist das
das eine   andere Ende.
Ende der
Linie.   Das
          ist die
        Mitte der Linie.

Das ist eine krumme
Linie.

Das wird besser sein.
Die Stütze in der
Mitte wird das Dach
stärker machen.

Anna macht etwas.

Was machst Du, Anna?

Ich mache einen Rock und eine Hose.

Hier ist
die Hose.

Hier ist der Rock.

„Hat der Rock einen
Kragen?"

„Ja, er hat einen.
Hier ist der Kragen."

Das ist die Vorderseite
des Rocks.
Das ist der Kragen des
Rocks.

Das ist der Rücken des
Rocks.

Das ist eine Seite
des Rocks.

Hier ist eine Tasche.
Es ist eine Rocktasche.

Hier ist die andere
Seite des Rocks.

Hier ist die andere
Rocktasche.

Das ist
die rechte
Seite.

Das ist
die linke
Seite.

Hier sind die Ärmel
des Rocks.

Der
rechte
Ärmel.

Der
linke
Ärmel.

Das sind die Knöpfe
des Rocks.

Das ist ein Knopf.

Das ist eine
Nähnadel.

Das ist ein Knopfloch.

Das ist Faden.

Die Nadel geht durch
das Loch des Knopfes.

Jetzt mache ich ein
Knopfloch.

Das ist eine Schere.

Schmal?
Das ist eine schmale
Strasse.

Diese
Klinge
ist
schmal.

Diese
Klinge
ist
breit.

Das sind Scherenklingen.

Das ist eine breite
Strasse.

Diese Tür
ist breit.

Diese Tür
ist schmal.

FRAGEN

a. Das sind zwei Wände.

Welche Wand ist dicker? Ist Wand A oder Wand B dicker?

b. Das sind zwei Schnitte.

Welcher Schnitt ist breiter? Ist Schnitt A oder Schnitt B breiter?

c. Das sind zwei Nägel.

Welcher Nagel ist länger?

d. Welcher von diesen zwei Männern ist stärker?

e. Welcher von diesen zwei Bleistiften ist kürzer?

f. Welche von diesen zwei Karten ist länger?

Welche ist breiter?

g. Welcher von diesen drei Winkeln ist ein rechter Winkel?

h. Welcher von diesen zwei Hämmern ist grösser?

Die Antworten sind auf Seite 176.

FRAGEN

a. Was macht er?

b. Was macht er jetzt?

c. Was macht er?

d. Was macht er jetzt?

e. Was macht sie?

f. Was macht sie jetzt?

Die Antworten sind auf Seite 176.

FRAGEN

1. Was sehen Sie auf diesem Bild?
2. Welche Tiere sehen Sie auf diesem Bild?

Die Antworten sind auf Seite 176.

Antworten auf die Fragen von Seite 173-175.

Seite 173

a. Wand B ist dicker.

c. Nagel A ist länger.

e. Bleistift B ist kürzer.

g. Winkel C ist ein rechter Winkel.

b. Schnitt B ist breiter.

d. Der grosse Mann ist stärker.

f. Karte B ist länger. Karte A ist breiter.

h. Hammer B ist grösser.

Seite 174

a. Er gibt dem Nagel einen Schlag mit dem Hammer.

c. Er macht eine Linie mit dem Bleistift.

e. Sie macht ein Knopfloch.

b. Jetzt nimmt er das Mass von der Schachtel.

d. Jetzt macht er einen Schnitt mit dem Messer.

f. Jetzt tut sie die Nadel in das Loch des Knopfes.

Seite 175

1. Ich sehe:

a. einen Zug

c. ein Flugzeug

e. ein Schiff

g. Berge

i. einen Stern

k. die Sonne

m. ein Schwein

o. ein Pferd

q. einen Hund

s. einen Rock

u. eine Hose

w. ein Messer

y. eine Schere

b. eine Lokomotive

d. einen Stuhl

f. eine Blüte

h. zwei Bäume

j. eine Wolke

l. den Mond

n. ein Schaf

p. eine Kuh

r. eine Ziege

t. einen Vogel

v. eine Tasse

x. einen Löffel

2. Ich sehe: ein Schwein, ein Schaf, ein Pferd, eine Kuh, einen Hund und eine Ziege.

Die Sonne geht jeden Tag auf und jeden Abend unter.
Ein Tag hat vierundzwanzig (24) Stunden.

Eine Woche hat sieben Tage.
Die sieben Tage der Woche sind: Sonntag, Montag, Dienstag, Mittwoch, Donnerstag, Freitag und Samstag (oder Sonnabend).

Vier Wochen sind ein Monat.
Ein Monat hat dreissig (30), einunddreissig (31) oder achtundzwanzig (28) Tage.
Zwölf Monate sind ein Jahr.
Ein Jahr hat dreihundertfünfundsechzig (365) Tage.

Hier sind die Namen der zwölf Monate:

Januar	(31)
Februar	(28)
März	(31)
April	(30)
Mai	(31)
Juni	(30)
Juli	(31)
August	(31)
September	(30)
Oktober	(31)
November	(30)
Dezember	(31)

Winter.

Im Winter ist
die Erde kalt.
Der Wind ist kalt.
Die Luft ist kalt.
Der Schnee macht alles
weiss.
Die Tage sind kurz.
Die Bäume haben keine
Blätter.

Frühjahr.

Im Frühjahr kommen
die Blätter aus den
Zweigen.
Pflanzen kommen aus
der Erde.
Im Frühjahr gibt es
viele Blüten.

Sommer.

Im Sommer ist es warm.
Die Luft ist warm.
Es gibt keinen Schnee.
Die Bäume haben
Blätter. Die Tage
sind lang.

Herbst.

Im Herbst fallen die
Blätter von den
Bäumen.
Die Tage sind kürzer,
und die Nächte sind
länger als im Sommer.

Frühjahr, Sommer, Herbst und Winter sind Jahreszeiten. Im Winter ist es kalt.
Der Winter ist eine kalte Jahreszeit.
Im Sommer ist es warm.
Der Sommer ist eine warme Jahreszeit.

Die Wintermonate sind: Dezember, Januar und Februar.
Die Frühjahrsmonate sind: März, April und Mai.
Die Sommermonate sind: Juni, Juli und August.
Die Herbstmonate sind: September, Oktober und November.

Diese Linie
ist länger als
diese Linie.

Eine Stunde ist kürzer als zwei Stunden.
Im Herbst sind die Tage kürzer als im Sommer.
Im Sommer sind die Tage länger als im Winter.

Eine halbe (½) Stunde hat 30 Minuten.

Eine Viertelstunde (¼) hat 15 Minuten.

Eine halbe Stunde ist länger als eine Viertelstunde.

Was ist kürzer: eine
Viertelstunde oder
eine halbe Stunde?

Welcher Zeiger ist
kürzer: der
Minutenzeiger oder
der Stundenzeiger?

Das ist ein
Zentimeter (1 cm).

A

B

Linie A ist 2 cm lang.
Linie B ist 5 cm lang.
Linie B ist länger
als Linie A.
Linie A ist kürzer
als Linie B.

Das ist ein Meter (1m).

Ein Meter hat hundert
Zentimeter (100 cm).
Das Meter ist ein
Längenmass.
Ein Kilometer (1km)
hat tausend Meter
(1000 m).
1 km = 1000 m.
1 m = 100 cm.

Zentimeter, Meter und
Kilometer sind
Längenmasse.
Ein Kilometer ist
länger als ein Meter.
Ein Meter ist länger
als ein Zentimeter.

Ein Zentimeter ist
kürzer als ein Meter.
Ein Meter ist kürzer
als ein Kilometer.
Ein Zentimeter ist ein
kleines Längenmass.
Ein Meter ist ein
grösseres Längenmass
als ein Zentimeter.
Ein Kilometer ist
ein grösseres
Längenmass als
ein Meter.

Was machen diese
zwei Personen?

Sie gehen.

Der Mann geht 6 km
in der Stunde.
Die Frau geht 3 km
in der Stunde.
Der Mann geht schnell.
Die Frau geht langsam.
Sie geht langsamer als
der Mann.
Der Mann geht
schneller als die Frau.

Das ist ein Zug.

Das ist ein Flugzeug.

Flugzeuge sind
schneller als Züge.

Dieses Kind ist ein Jahr alt.

Dieser Junge ist 10 Jahre alt.

Dieser Mann ist 30 Jahre alt.

Dieser Mann ist 90 Jahre alt.
Er geht mit einem Stock.

Der Junge ist jung.
Der Mann mit dem Stock ist alt.
Er ist älter als der Junge und älter als der Mann.
Er ist am ältesten.

Das ist ein dünnes Buch.

Das ist ein dickes Buch.

Das ist eine schmale Strasse.

Das ist eine breite Strasse.

Das ist eine dicke Wand.

Das ist ein dicker Mann.

Das ist ein hohes Gebäude.

Das ist ein niedriges Gebäude.

Diese Strasse ist breit.

Dieses Buch ist dick.

Diese Strasse ist breiter.

Dieses Buch ist dicker.

Diese Strasse ist am breitesten.

Dieses Buch ist am dicksten.

Dieses Buch ist dünn.

Dieser Mann ist dick.

Dieses Buch ist dünner.

Dieser Mann ist dicker.

Dieses Buch ist am dünnsten.

Dieser Mann ist am dicksten.

Glas ist hart.

Glas ist
härter als
Holz.

Holz ist härter als
Brot.

Brot ist härter als
Butter.

Dieser Mann
ist stärker
als dieser
Junge.

Der Junge
ist nicht
so stark
wie der
Mann.

Er ist auch nicht
so alt wie der Mann.
Der Junge ist jünger
als der Mann, aber er
ist nicht so stark
wie der Mann.

Hier sind drei
Personen.

Dieser
Mann ist
älter
als
dieser Junge.
Dieser
Junge ist
älter als
dieses Kind.

Welche von diesen drei
Personen ist am
ältesten?

Diese Linie

ist so lang wie diese
Linie.

Diese zwei Linien sind
gleich lang.

Diese Linie _____
ist nicht so lang wie
diese Linie.

Diese zwei Linien sind
nicht gleich.
Sie sind verschieden.

Ein Zug kann 100 km
in der Stunde machen.
Ein Flugzeug kann
500 km in der Stunde
machen.
Züge und Flugzeuge
sind verschiedene
Fahrzeuge.

Hier sind zwei
Schiffe.

Schiffe sind auch
Fahrzeuge.
Wieviel Kilometer
kann ein schnelles
Schiff in der
Stunde machen?
Ein schnelles Schiff
kann 50 km in der
Stunde machen.

Hier sind zwei andere
Fahrzeuge.

Das sind zwei Autos.

Das ist ein Wagen mit
einem Pferd.

Autos und Wagen sind
zwei verschiedene
Fahrzeuge.

Züge, Schiffe,
Autos, Wagen und
Flugzeuge sind
verschiedene
Fahrzeuge.

Das ist eine Karte von Europa.

Die Städte auf dieser Karte
sind: London, Paris, Rom, Madrid, Berlin,
Köln und Bonn.
Die Entfernung zwischen London
und Bonn ist 430 km.
Das ist eine grosse Entfernung.
Die Entfernung zwischen Bonn
und Köln ist 30 km.
Das ist eine kleine Entfernung.

Das ist eine Karte von Deutschland.

Die Entfernung
zwischen Köln und
Bonn ist 30 km.

Die Entfernung
zwischen London und
Bonn ist 430 km.
Das ist eine grosse
Entfernung. Es ist eine grössere Entfernung als
die Entfernung zwischen Köln und Bonn.

| Die Entfernung zwischen Köln und Bonn ist 30 km. Bonn ist nahe bei Köln. Die Entfernung zwischen ihnen ist klein. | Die Entfernung zwischen London und Bonn ist 430 km. Bonn ist weit von London. Die Entfernung zwischen ihnen ist gross. |

Bonn ist nahe bei Köln.
Die Entfernung
zwischen Bonn und
Köln ist kleiner als
die Entfernung
zwischen Bonn und
London.

Köln ist weit von
London.
Köln ist weiter von
London als von Bonn.
Die Entfernung
zwischen Köln und
London ist grösser als
die Entfernung
zwischen Köln und
Bonn.

Wie weit ist Bonn
von Köln?
30 km.
Ist das eine grosse
Entfernung?
Nein, das ist keine
grosse Entfernung.
Es ist eine kleine
Entfernung.
Bonn ist nahe bei Köln.
Wie weit ist Paris
von Köln?
322 km.
Das ist eine grosse
Entfernung.

Wie weit ist Bonn von
London?
430 km.
Wie weit ist Rom von
London?
1200 km.
Die Entfernung
zwischen London und
Rom ist grösser als
die Entfernung
zwischen London und
Bonn.
London ist weiter von
Rom als von Bonn.

Das ist eine Stadt.

London, Paris, Rom und
Berlin sind Städte.
London ist in England.
Berlin ist in
Deutschland.
Rom ist in Italien.
England, Deutschland
und Italien sind
Länder.

Das ist ein Fluss.

Der Rhein, die Themse
und der Mississippi
sind Flüsse.

Das sind Berge.

Das sind
Strassen.

Das sind
Flüsse.

Das Auto
ist auf
der Strasse.

Das Schiff ist
auf dem Fluss.

Die Insel
ist im
Fluss.

Das ist die Erde.

Städte, Berge, Flüsse
und Inseln sind auf
der Erde.
Wir sehen die Erde
von Norden.
Auf dieser Seite der
Erde sehen wir mehr
Land als Wasser.

Jetzt sehen wir die
Erde von Süden.

Auf dieser Seite sehen
wir mehr Wasser als
Land.

Das ist der Mond.

Der Mond geht in
einem Monat um die
Erde.

Sehen wir die andere
Seite des Mondes?
Nein.

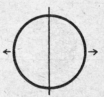

Wir sehen immer
die gleiche Seite des
Mondes.

Der Mond geht um die Erde, und die Erde geht um die Sonne.

Die Sonne gibt dem Mond Licht.
Der Mond bekommt das Licht von der Sonne.

Wenn die Erde zwischen dem Mond und der Sonne ist, bekommt der Mond kein Licht.
Dann ist er dunkel.
Wenn der Mond dunkel ist, sehen wir ihn nicht.

Wir sehen immer die gleiche Seite des Mondes.
Manchmal sehen wir den Mond so.

Die eine Hälfte des Mondes ist dunkel.
Die andere Hälfte ist hell.
Das ist Halbmond.

Manchmal sehen wir den Mond so.

Ein Viertel des Mondes ist hell, und drei Viertel sind dunkel.

Manchmal sehen wir
den Mond so.
Das ist Neumond.

Und manchmal sehen
wir den Mond so.
Das ist Vollmond.

Das ist ein
neuer Hut.

Dieses Glas
ist voll.

Das ist ein
alter Hut.

Dieses Glas
ist nicht
voll.

Neumond.

Eine
Viertelstunde.

Eine halbe
Stunde.

Halbmond.

Eine Dreivier-
telstunde.

Vollmond.

Eine volle
Stunde.

FRAGEN

a. Hier sind zwei
   Personen: ein
   Mädchen und ein
   alter Mann.

Ist das Mädchen älter
als der Mann?
Ist der Mann jünger
als das Mädchen?

b. Wer ist weiter
   vom Baum: der
   Junge oder das
   Mädchen?

c. Hier sind drei
   Gebäude.

Ist Gebäude A höher
als Gebäude B?
Ist Gebäude C höher
als Gebäude B?
Welches Gebäude ist
am höchsten?

d. Welche Stadt ist
   weiter von Köln:
   Bonn oder London?

Die Antworten sind auf Seite 195.

FRAGEN

A B C D

a. Ist C Vollmond?
Ist B Neumond?

A _____
B _____
C _____

b. Ist Linie A länger als
Linie B?
Ist Linie B kürzer als
Linie C?
Welche von diesen
Linien ist am
längsten? Welche
ist am kürzesten?

c. Ist die Entfernung
zwischen Berlin und
Köln grösser als die
Entfernung zwischen
London und Rom?
Welche Stadt ist
näher bei Köln:
Berlin oder Bonn?

d. Welches Fahrzeug ist
schneller: ein Schiff
oder ein Flugzeug?

Die Antworten sind auf Seite 195.

Antworten auf die Fragen von Seite 193-194.

Seite 193

a. Nein, das Mädchen ist nicht älter als der Mann. Nein, der Mann ist nicht jünger als das Mädchen; er ist älter.

b. Das Mädchen ist weiter vom Baum.

c. Ja, Gebäude A ist höher als Gebäude B. Nein, Gebäude C ist nicht höher als Gebäude B. Gebäude A ist am höchsten.

d. London ist weiter von Köln.

Seite 194

a. Nein. C ist Halbmond. Nein. B ist Vollmond.

b. Ja, Linie A ist länger als Linie B. Nein, Linie B ist nicht kürzer als Linie C. Linie A ist am längsten. Linie C ist am kürzesten.

c. Nein, die Entfernung zwischen Berlin und Köln ist nicht grösser als die Entfernung zwischen London und Rom. Sie ist kleiner. Bonn ist näher bei Köln.

d. Das Flugzeug ist ein schnelleres Fahrzeug als das Schiff.

Wie lang ist eine Linie
durch die Erde von
Norden nach Süden?

Eine Linie durch die
Erde von Norden nach
Süden ist 13.000
(dreizehntausend) km.
lang.

Wie gross ist die
Entfernung zwischen
der Erde und dem
Mond? 385.000 km.
(Dreihundertfünfundacht-
zigtausend Kilometer).

Wie gross ist die
Entfernung zwischen
der Erde und der
Sonne? 150.000.000
km. (Hundertfünfzig
Millionen Kilometer).

Was hat er in der
Hand?
Einen Ball.

Der Ball ist klein.
Seine Form ist rund.
Die Form der Sonne ist
auch rund, aber die
Sonne ist ein grosser
Ball.

Das ist Feuer.

Die Sonne ist
ein grosser
Feuerball.

Ein Ball ist rund.
Die Erde ist auch
rund.
Die Sonne und der
Mond sind auch rund.

Feuer gibt Wärme.
Die Sonne gibt auch
Wärme.
Der Mond gibt keine
Wärme.
Der Mond ist ein
grosser Himmelskörper.
Die Erde ist grösser
als der Mond.
Die Sonne ist grösser
als der Mond und
grösser als die Erde.

Die Sonne ist weit
von der Erde.

Welche Stadt auf dieser
Karte ist weit von Bonn?

Das sind drei Sterne.
Sind die Sterne kleiner
als die Sonne?
Nein, viele Sterne sind
grösser als die Sonne.
Sind die Sterne näher
bei der Erde als die
Sonne?
Nein, sie sind weiter
von der Erde als die
Sonne.

Die Sonne gibt Licht
und Wärme.
Gibt der Mond Wärme?
Nein, der Mond gibt
keine Wärme.

Das ist eine Flamme.

Flammen geben Licht.

Die Sonne
gibt auch
Licht.

Das Licht der Sonne
geht in alle
Himmelsrichtungen.

Die vier
Himmelsrichtungen
sind: Osten, Westen,
Süden und Norden.
Die Sonne geht im
Osten auf und im
Westen unter.

Das sind auch
Richtungen.
Diese Strassen gehen in
verschiedene
Richtungen.

Das ist die
Richtung
nach Bonn.

Das ist die
Richtung
nach
Hamburg.

Hier sind zwei
andere Richtungen.

Der Mann geht die
Treppe hinauf.
Er geht hinauf.

Die Frau geht die
Treppe hinunter.
Sie geht hinunter.
„Hinauf" und
„hinunter" sind zwei
verschiedene Richtungen.

Hier sehen Sie zwei Männer.

Das ist eine Waage.

Dieser Mann ist dick.

Dieser Mann ist dünn.

Was ist ein Gewicht?

Der dünne Mann ist auf der Waage. Sein Gewicht ist 100 Pfund.

Das Gewicht des dünnen Mannes ist niedrig.

Jetzt ist der dicke Mann auf der Waage. Sein Gewicht ist 200 Pfund.

Das Gewicht des dicken Mannes ist hoch.

Was hat dieser Mann
in der Hand?

Er hat einen Schirm
in der Hand.
Es ist ein Regenschirm.
Der Regenschirm des
Mannes ist offen.
Warum?

Weil es regnet.
Das Wasser, das aus
den Wolken auf die
Erde fällt, ist Regen.
Wenn es regnet,
machen wir die Schirme
auf.

Gestern regnete es
nicht. Es waren keine
Wolken am Himmel.
Der Himmel war blau.
Die Sonne war hell. Die
Luft war warm. Gestern
war das Wetter schön.

Heute ist das Wetter
nicht schön.
Grosse, dunkle Wolken
sind am Himmel.
Wir sehen die Sonne
nicht. Es regnet, und wir
machen die Schirme auf.
Heute ist das Wetter
schlecht.

Es regnet.

Diese Frau hat
keinen Schirm.
Ihr Kopf und ihr
Kleid sind nass.

Es regnet.

Diese Personen haben
keine Schirme.
Ihre Köpfe und
Kleider sind nass.
Wenn es regnet, und
wir keinen Schirm
haben, sind unsere
Kleider nass.

Schönes
Wetter.

Gestern war das
Wetter schön.
Es waren keine
Wolken am Himmel.
Die Sonne war hell.
Es war warm, und die
Vögel waren auf den
Bäumen.

Schlechtes Wetter.

Heute ist das Wetter
schlecht.
Es regnet.
Es ist kalt und sehr
windig.
Der Wind nimmt mir
den Hut vom Kopf und
den Schirm aus der
Hand.

Wie wird das Wetter morgen sein?
Vielleicht wird es schlechter sein als heute.
Vielleicht wird es kälter sein als heute.
Vielleicht wird das Wetter so sein wie im Winter.

Auf diesem Bild sehen wir, wie das Wetter
im Winter ist.
Alles ist weiss.
Der Schnee macht alles weiss.
Im Winter ist es kalt.
Vielleicht wird das Wetter morgen so sein.

Vielleicht wird das Wetter morgen schön sein.
Vielleicht wird es wärmer sein als heute.
Vielleicht wird das Wetter so sein wie
auf diesem Bild.

Was sehen Sie auf diesem Bild?
Wie ist das Wetter auf diesem Bild?

Heute ist es sehr
kalt.
Diese zwei Männer
haben ein grosses
Feuer gemacht.

Das ist
Rauch.

Feuer gibt Wärme.
Feuer ist sehr nützlich.

Das Rad ist auch ein
sehr nützliches Ding.

Das ist ein
Rad.

Das sind Räder.

Räder sind rund.

Züge, Autos, Wagen
und andere Fahrzeuge
haben Räder.

Kleider sind auch
sehr nützliche Dinge.

Hier sind drei
verschiedene
Kleidungsstücke.

Ein
Rock.

Ein Frauen-
rock.

Ein Hemd.

Kleidungsstücke sind
aus Stoff gemacht.
Stoffe sind aus Faden
gemacht.

Das sind Fäden.

Das sind andere Fäden.

Das sind dicke
Fäden.

Das sind dünne
Fäden.

Das ist Stoff.

Das ist eine Rolle Stoff.
Wir machen
Kleidungsstücke aus
Stoff, und wir machen
Stoff aus Faden.
Wir machen Faden
aus Wolle.

Das ist Wolle.

Es ist Schafwolle.

Das sind Schafe.
Schafe geben Wolle.

Das ist
ein
Schaf.

Das ist
seine
Wolle.

Schafwolle ist dick
und warm.
Kleidungsstücke aus
Schafwolle sind sehr
warm.
Schafwolle ist wärmer
als Baumwolle.

Wir bekommen
Baumwolle von einer
Pflanze.

Das ist die Pflanze,
von der wir Baumwolle
bekommen.

Wir bekommen Seide
vom Seidenwurm.

Das ist ein
Seidenwurm.

Diese drei
Kleidungsstücke sind
aus verschiedenen
Stoffen gemacht.

Der Stoff der Hose ist
aus Wolle gemacht.
Es ist ein Wollstoff.
Der Stoff des Rocks
ist aus Baumwolle
gemacht.
Das Hemd ist aus
Seide gemacht.
Es ist ein Seidenhemd.

Wir machen Stoffe aus
Schafwolle, Baumwolle
und Seide.
Stoffe aus Schafwolle
sind wärmer als Stoffe
aus Baumwolle.

Was macht dieser
Mann?

Er arbeitet mit
einem Hammer.
Er macht Schuhe.
Er ist Schuhmacher.

Das sind Schuhe.

Das sind Stiefel.

Der Schuhmacher
macht Schuhe und
Stiefel.
Das ist seine Arbeit.

Was macht dieser
Mann?

UHRMACHER

Er macht Uhren.
Er ist Uhrmacher.

Was macht diese Frau?

Sei arbeitet im Haus.
Sie macht ihre
Hausarbeit.

Was macht diese Frau?

Sie wäscht Strümpfe,
Socken und Hemden.
Das ist ein Teil ihrer
Hausarbeit.

Was macht dieser
Mann?

Er abeitet mit
einem Spaten.

Das ist ein Spaten.

Was macht dieser
Junge?

Er macht seine
Schularbeit.

Das ist eine Bank.

NATIONALBANK

Dieser Mann hat
einen Scheck in
der Hand.

Das ist ein Scheck.

Viele Personen haben
einen Teil ihres
Geldes auf der Bank.
Wenn sie ihr Geld auf
der Bank haben, haben
sie ein Konto.

Das ist ein Konto.

Das sind Kontobücher.
Banken und Kaufhäuser
haben Kontobücher.

Das ist ein offenes
Kontobuch.
Das sind die Seiten
des Kontobuchs.

Haben Sie Geld auf
der Bank?
Haben Sie ein Konto?
Wieviel Geld haben
Sie auf der Bank?

Das ist ein Bauernhof.

Das ist ein Bauer.
Er arbeitet mit dem
Pflug.

Das ist
ein Pflug.

Der Bauer arbeitet
auf dem Feld.

Das ist ein Feld.

Der Bauer abeitet mit
einem Pflug und einem
Pferd. Das ist ein Teil
seiner Feldarbeit.

Bauern haben Pferde,
Kühe, Schweine,
Schafe, Ziegen und
andere Tiere auf ihren
Bauernhöfen.

Dieser Mann kann
nicht sehen.

Er kann nicht sehen,
aber er kann lesen.
Er liest mit den Fingern.

Wie kann er mit den
Fingern lesen?
Was für ein Buch ist
das?

Das ist ein Braillebuch.

Das sind Wörter in
einem Braillebuch.

Eine Person, die nicht
sehen kann, liest mit
den Fingern.

Dieser Mann kann
sehen.
Er liest mit den Augen.
Er liest nicht mit
den Fingern.

Was hat er vor den
Augen?
Augengläser.

Was machen wir mit
den Augen?

Wir sehen.

Was machen wir mit
den Ohren?

Wir hören.
Dieser Mann hört Musik.

Was machen wir mit
den Beinen?

Wir gehen.

Was machen wir mit
dem Mund?

Wir sprechen mit
dem Mund.
Diese Person spricht.
Sie sagt:

Ich spreche.

Diese Person spricht
nicht.

Sie nimmt eine Kartoffel
in den Mund.

Wir hören mit den
Ohren und sehen mit
den Augen.
Nicht alle Personen
können sehen.
Viele Personen sehen
nicht gut.
Personen, die nicht
gut sehen, haben
Augengläser.

FRAGEN

a. Was macht der
   Schuhmacher?

b. Welche Fahrzeuge
   haben Räder?

c. Was ist wärmer:
   Schafwolle oder
   Baumwolle?

d. Was machen wir mit
   den Augen?

e. Können alle Personen
   sehen?

f. Wie lesen die
   Personen, die nicht
   sehen können?

g. Was haben
   Personen, die nicht
   gut sehen, vor den
   Augen?

h. Bekommen wir Seide
   von einer Pflanze
   oder von einem Tier?

Die Antworten sind auf Seite 214.

Was sehen Sie hier?

a.

b.

c.

d.

e.

f.

g.

h.

i.

j.

Die Antworten sind auf Seite 214.

Antworten auf die Fragen von Seite 212-213.

Seite 212

a. Der Schuhmacher macht Schuhe und Stiefel.

b. Züge, Autos, Wagen und andere Fahrzeuge haben Räder.

c. Schafwolle ist wärmer als Baumwolle.

d. Wir sehen mit den Augen.

e. Nein, nicht alle Personen können sehen.

f. Personen, die nicht sehen können, lesen mit den Fingern.

g. Personen, die nicht gut sehen, haben Augengläser.

h. Wir bekommen Seide von einem Tier, nicht von einer Pflanze.

Seite 213

Ich sehe:

a. eine Waage.

b. einen Pflug.

c. Schuhe.

d. Augengläser.

e. einen Frauen- rock und ein Hemd.

f. ein Rad.

g. Holz, Feuer und Rauch.

h. einen Spaten.

i. eine Rolle Stoff.

j. einen Schirm.

Wir sehen mit den
Augen.
Wir hören mit den
Ohren.
Sehen und Hören sind
zwei Sinne einer
Person.

Der Geschmack ist
auch ein Sinn.

Der Geschmackssinn
ist in der Zunge.

Das ist die Zunge
eines Mannes.

Das sind seine
Lippen.

Der Sinn für den
Geschmack ist in der
Zunge.

Was sehen Sie auf
diesem Teller?

Ich sehe weisses Pulver.
Es kann Salz sein, aber
es kann auch Zucker
sein.

Die Frau tut etwas
Pulver auf die Zunge.

Sie sagt: „Es ist Salz."

Wir bekommen Salz
aus dem Meer.

Das Wasser im Meer
ist salzig.

Wir bekommen auch
Salz aus Salzgruben.

Das ist eine Salzgrube.

Wir bekommen Zucker
von Pflanzen.
Wir bekommen ihn aus
den Stielen verschie-
dener Pflanzen.

Wir bekommen auch
Zucker aus den
Wurzeln
verschiedener
Pflanzen.

Zucker ist weisses
Pulver und Salz ist
auch weisses Pulver,
aber ihr Geschmack
ist verschieden.

Das ist eine Orange.

Das ist ein Kuchen.

Das ist die Schale
der Orange.

Dieser Kuchen ist mit
Zucker gemacht.
Kuchen, mit Zucker
gemacht, sind süss.

Der Geschmack der
Orange ist süss.
Die Orange ist süss,
aber ihre Schale
ist nicht süss.
Sie ist bitter.

Aber für die Zunge
sind sie verschieden.

Zucker hat einen süssen
Geschmack.
Salz hat einen salzigen
Geschmack.

Salzig!

Zucker ist süss.
Salz ist salzig.

Für das Auge sind
Zucker und Salz gleich.

Süss!

Was machen wir mit
der Nase?
Wir riechen.

Diese Frau hat eine
Blume in der Hand.

Sie riecht die Blume.
Die Blume riecht gut.
Der Geruch der Blume
ist gut.

Diese Blumen sind
in einem Garten.

Das ist Gras.

Die Blumen im Garten
riechen gut.

Viele Blumen haben
keinen Geruch.

Das sind Schweine.
Sie sind schmutzig.

Schmutzige Schweine
riechen nicht gut.

Das ist
Rauch.

Das ist
Feuer.

Der Rauch des Feuers
riecht nicht gut.

Dieser Mann hat eine
Pfeife im Mund.

Der Rauch seiner
Pfeife riecht gut.

Wir sehen verschiedene
Dinge mit den Augen.
Wir sehen die Form
und die Grösse der
Dinge.
Wir sehen auch die
Farbe der verschie-
denen Dinge.
Das sind einige
Farben:

grün	rot
blau	gelb
weiss	schwarz
grau	braun

Die Farbe des Grases
im Frühjahr ist grün.
Auch die Blätter sind
grün.

Im Herbst sind die
Blätter gelb, braun
oder rot.

Der Himmel ist blau.

Wenn das Wetter schön
ist, ist der Himmel blau.
Die Wolken sind weiss
oder grau.

Die Sonne ist gelb.

Manchmal,
wenn sie
aufgeht

oder

untergeht,
ist sie
rot.

Die Flamme
ist gelb.

Wir sehen die Form,
die Grösse und die
Farbe verschiedener
Dinge.
Aber die Dinge sind
nicht immer so, wie
wir sie sehen.
Manchmal scheinen
uns verschiedene
Dinge grösser oder
kleiner als sie sind.

Dieser Mann
ist gross.

Dieser Mann ist
klein.

Das ist eine
grosse Frau.

Das ist eine
kleine Frau.

Hier sind zwei Männer.

Welcher von ihnen ist
grösser?

Der Mann, der näher
bei der Tür ist,
scheint grösser.
Er scheint grösser,
aber er ist nicht
grösser.
Die zwei Männer sind
gleich gross.
Warum scheint der eine
grösser als der andere?
Weil die Linien auf
dem Bild ihn für das
Auge grösser machen.

Hören, Sehen und
Riechen sind drei Sinne.
Der Geschmack ist
auch ein Sinn.
Es gibt auch andere
Sinne.

Ein anderer Sinn ist
der Sinn für Wärme
und Kälte.

Hier sehen Sie drei
Eisstücke im Wasser.

Das Wasser ist sehr kalt.

Das Wasser in diesem
Topf ist sehr warm.

Aus dem Topf kommt
Dampf.

Hier sind drei Becken.

Das Wasser in Becken A
ist sehr warm.
Das Wasser in Becken C
ist sehr kalt.
Das Wasser in Becken B
ist weder kalt noch
warm.

Jetzt tue ich die
Hände in Becken A
und C.
Die rechte Hand ist
im warmen Wasser.
Die linke Hand ist
im kalten Wasser.

Jetzt tue ich die
Hände zusammen in
Becken B.

Das Wasser in Becken B
ist weder kalt noch
warm, aber es scheint
der rechten Hand kalt
und der linken Hand
warm.
Es ist das gleiche
Wasser, aber es scheint
der rechten Hand kalt
und der linken Hand
warm.
Warum?

Weil die rechte Hand
im warmen Wasser war,
und die linke Hand im
kalten Wasser, bevor
ich sie in Becken B tat.

Was macht dieser Mann?

Er gibt dem Nagel einen Schlag mit dem Hammer.

Das ist sein Hammer.

Das sind Nägel verschiedener Grösse.

Ein Schlag mit dem Hammer ist ein Hammerschlag.

Er gibt dem Nagel viele Hammerschläge.

Die Hammerschläge machen ein Geräusch. Sie machen ein sehr lautes Geräusch.

Sie hat die Hände an den Ohren.
Sie sagt:

Welch ein Geräusch!

Kanonen machen sehr laute Geräusche.

Das sind Kanonen.

Kanonen machen lautere Geräusche als Revolver.

Das ist ein Revolver.

Das ist eine Pfeife.

Es ist eine Dampfpfeife. Sie macht ein lautes Geräusch.

Dieser Junge hat eine Taschen- pfeife.

Das Geräusch einer Taschenpfeife ist nicht so laut wie das Geräusch einer Dampfpfeife.

Das ist Musik.

Das ist Gesang.

Das sind Noten.
Das ist eine hohe Note.

Das ist eine tiefe Note.

Das sind hohe Berge.

Das sind tiefe Gruben.

Sie gehen tief in die Erde.

Das ist ein
grosses
Schiff.

Das ist ein
grösseres
Schiff.

Das ist das
grösste Schiff.

Viele Tiere sind
intelligent.

Das Pferd ist
ein intelligentes
Tier.

Der Affe ist
intelligenter
als das Pferd.

Der Mann ist
am intelligen-
testen.

Das ist
die höchste
Note. →

Diese Note
ist tiefer, →
aber sie ist
höher als
diese Note.
→

Welche von diesen
drei Noten ist die
tiefste?

Das ist
eine tiefe
Grube.

Das ist eine
tiefere Grube.

Das ist die tiefste
Grube.

Die Arbeit des Bauers ist nützlich.

Ist die Arbeit des Bauers nützlicher als die Arbeit des Mannes in der Bank?

Das ist ein grosses Feuer.

Das ist ein grösseres Feuer.

Das ist das grösste Feuer.

Das ist ein gutes Buch.

Das sind auch gute Bücher.

Welches von den drei Büchern ist das beste?

Ich habe 100 DM.
Er hat 1.000 DM.
Sie hat 5.000 DM.

Ich habe viel Geld.
Er hat mehr als ich, sie hat am meisten.

100 DM—viel Geld.
1.000 DM—mehr
5.000 DM—am meisten.

Sie ist vor dem Spiegel.

Sie sieht sich im
Spiegel.
Sie ist froh.

Sie ist immer froh,
wenn sie sich im
Spiegel sieht.

Warum?

Weil es für sie ein
Genuss ist, sich im
Spiegel zu sehen.
Sie ist schön.

Sie sieht, dass sie
schön ist.

Er ist vor dem Spiegel.

Er sieht sich auch
im Spiegel, aber er
ist nicht froh.
Für ihn ist es kein
Genuss, sich im
Spiegel zu sehen.
Es ist ein Schmerz
für ihn.
Warum?
Ist er schön?

„Genuss"? Was ist das?
„Schmerz"? Was ist das?

Tun Sie Ihren Finger
in die Flamme!
Nein, das tue ich nicht.
Warum?

Hier ist
ein Nagel.

Tun Sie
Ihren
Finger
auf den
Nagel,
und ich
werde
ihm
einen
Hammer-
schlag
geben.

O nein! Das tue ich
nicht. Jetzt sehe ich,
was „Schmerz" ist.

„Schmerz" ist das
Gegenteil von
„Genuss".

Gegenteil?

„Gross" ist das
Gegenteil von „klein".

„Kalt" ist das
Gegenteil von „warm".

„Viel" ist das
Gegenteil von „wenig".

Schönes Wetter.

Es ist ein schöner Tag.
Die Luft ist warm.
Die Sonne ist hell.
Der Himmel ist blau.
So ein schöner Tag
ist ein Genuss.

Schlechtes Wetter.

Es regnet.
Der Mann und das
Mädchen sind nass.
Es ist windig und
kalt.
So ein Wetter ist kein
Genuss.

"Hell" ist das Gegenteil
von "dunkel".

"Warm" ist das
Gegenteil von "kalt".

"Weiss" ist das
Gegenteil von
"schwarz".

Was ist das Gegenteil
von "schnell"?
Was ist das Gegenteil
von "dick"?

Welches von
diesen zwei
Gebäuden ist
hoch?

Was ist das Gegenteil
von „schmal"?

Welches ist
niedrig?

Ist diese Strasse
schmal oder breit?

Er kommt
ins Zimmer.

Er geht
aus dem
Zimmer.

„Kommen" ist das
Gegenteil von
„gehen".

„Das Erste" ist das
Gegenteil von „das
Letzte".

Seite 1 ist die erste
Seite des Buchs.

Seite 100 ist die
letzte Seite.

Die anderen Seiten
sind zwischen der
ersten und der letzten
Seite des Buchs.

Wenn ich ihr sage, dass sie schön ist, ist sie froh.

Sie sieht sich im Spiegel.
Sie sieht, dass sie schön ist.
Sie ist froh.
Warum ist sie froh?
Sie ist froh, weil sie schön ist.

Sie hat ein Lächeln auf den Lippen.
Warum?

Ist sie schön?

Weil sie froh ist.
Warum ist sie froh?
Weil sie schön ist.
Was sagte der Mann?
Er sagte: „Sie sind schön."

Sehen Sie das Lächeln auf ihren Lippen?

Sie sagt:

Das ist ein Bild
von Leonardo da
Vinci.

Das ist die Mona Lisa.

Sehen Sie ihr Lächeln?

Das ist das Lächeln der
Mona Lisa.
War die Mona Lisa eine
schöne Frau?

Ich habe meine
Meinung von der
Schönheit dieser
Frau.

Er hat seine Meinung.

Verschiedene Personen
haben verschiedene
Meinungen.
Vielleicht war die
Mona Lisa eine schöne
Frau.
Vielleicht war sie
nicht schön.
Es gibt kein Mass
für Schönheit.

Genuss und Schmerz
sind Gefühle.
Wir haben verschiedene
Gefühle.
Im Sommer fühlt unser
Körper die Wärme.
Im Winter fühlt er die
Kälte.

Dieser Mann ist am
Meer.

Er fühlt die Wärme der
Sonne.
Sein Stuhl ist auf
dem Sand.
Der Sand ist warm.
Die Luft ist auch warm.
Ein schöner, warmer Tag
am Meer ist ein Genuss.

Jetzt ist er im Meer.
Das Meer ist kalt und
salzig.

Er fühlt die Kälte
des Meerwassers.
Das Schwimmen im
Meer ist für ihn
ein Genuss. Er ist froh.

Jetzt ist er wieder
auf seinem Stuhl.
Er fühlt wieder die
Wärme der Sonne.
Nach dem Schwimmen
ist die Wärme der
Sonne für ihn ein
Genuss.

Das ist ein lächelnder
Mund.

Das ist ein breites
Lächeln.

Das ist Anna.
Sie hat ein breites
Lächeln auf den
Lippen. Sie ist froh.

Weil sie einen Schmerz
im Knie fühlt.

Das ist ihr
Knie. →

Warum fühlt sie einen
Schmerz im Knie?

Weil sie mit den Knien
auf den Boden fiel.

Sie fällt.

Ist sie jetzt froh?

Nein, sie ist nicht
froh.
Sie hat Tränen in den
Augen.

Warum hat sie Tränen
in den Augen?

Ist Anna jetzt froh?

Nein.
Hat sie ein Lächeln
auf den Lippen?
Nein.
Warum?

Weil sie einen
Schmerz im Knie
fühlt.

Jungen und Mädchen
gehen in die Schule.
Sie lernen dort.
Sie lernen lesen,
schreiben und
verschiedene andere
Dinge.

Können Sie lesen?
Können Sie schreiben?

Lernen wir auch, wenn
wir nicht mehr in die
Schule gehen?
Ja, wir lernen immer.
Wir lernen jeden Tag.
Wie lernen wir?

Wir lesen Bücher
und Zeitungen, und
wir bekommen
Antworten auf unsere
Fragen.
Sind die Antworten
auf unsere Fragen
immer richtig?

Was ist „richtig"?
$2+2=4$ Das ist richtig.
$2+2=5$ Das ist nicht
richtig.
Das ist falsch.

Die Antworten auf
unsere Fragen sind
nicht immer richtig.

Können wir sagen:
2+6=9?
Ja, wir können es
sagen, aber es ist
nicht richtig.
Es ist falsch.
2+6=8 Das ist
         richtig.

Dieser Mann geht zum
Bahnhof.
Er hat seine
Reisetasche in der
Hand.

Das ist ein Weg.

„Ist das der richtige
Weg zum Bahnhof?"

„Nein. Der Weg zum
Bahnhof ist dort."

„Nehmen Sie die erste
Strasse rechts!"

Wir bekommen unsere Bildung auf verschiedenen Wegen. Wir lernen viel in der Schule, wir sehen verschiedene Dinge, wir hören, was andere Personen sagen, wir sprechen mit anderen Personen,

wir lesen verschiedene Bücher und wir bekommen Antworten auf unsere Fragen.

Lesen, Sehen, Hören und Lernen sind verschiedene Wege zur Bildung.

Personen, die Bildung haben, sind nützlicher als Personen, die keine Bildung haben.

Das ist ein
Junge.

Der Junge ist im Bett.

Er war ein
Kind.

Er geht jeden Abend
um 8 Uhr zu Bett.

Er wird
ein Mann sein.

Um 7 Uhr morgens geht
er ins Badezimmer.

Um 8 Uhr kommt er ins
Zimmer.

Er geht die Treppe
hinunter.

Er sagt: „Guten
Morgen, Mutter! Guter
Morgen, Vater!"

Er wäscht sich.

Um 9 Uhr geht er in die
Schule.

In der Schule sieht er
seine Freunde

und macht seine
Schularbeit.

Nach der Schule kommt
das Ballspiel.

Er gibt dem Ball einen
Schlag.

Seine Gedanken sind
bei der Arbeit.

Sie sind nicht beim
Ballspiel.

Am Abend geht er
nach Hause.

Hier ist er wieder
bei seiner Familie.

A

der Abend (die Abende) ..147
abends 147
aber 61, 75
acht 36
achtundzwanzig 177
achtzehn 149
achtzig 149
die Adresse
    (die Adressen) 140
der Affe (die Affen) 225
alle 50
alles 202
alt 81, 182
älter 182
am ältesten 182
als 66, 178
am (an dem) 37
an 27
andere 40
die Antwort (die
    Antworten) 30, 31
der Apfel; die Äpfel ..86, 104
der April 177
die Arbeit (die Arbeiten) ..206
arbeitet (arbeiten) 206
der Arm; die Arme 12, 89
der Ärmel; die Ärmel ..89, 170
(die Art) die Arten 110

der Atem 100
auch 221
auf 14, 24
aufgeht (aufgehen) 219
das Auge; die Augen 40
die Augengläser 42
der August 177
aus 59
(das Auto) die Autos 185

B

das Badezimmer (die
    Badezimmer) 238
der Bahnhof (die
    Bahnhöfe) 136
der Ball (die Bälle) 196
das Ballspiel (die
    Ballspiele) 239
die Bank
    (die Banken) ..207, 208
der Bauer
    (die Bauern) 209
der Bauernhof (die
    Bauernhöfe) 209
der Baum; die Bäume 86, 159
die Baumwolle 204
das Becken
    (die Becken) ..131, 221
bei 29

beim (bei dem) 66
das Bein (die Beine) 12
bekam (bekommen) ..142
bekommen 142
bekommt (bekommen) 191
(der Berg) die Berge 114
besser 163
beste 140, 226
das Bett (die Betten) 126
bevor 87
das Bild (die Bilder)............27
die Bildung 142
bin (sein) 1
bitte 166
bitter 217
blau 200, 219
das Blatt; die
Blätter 96, 111, 178
der Bleistift; die
Bleistifte 161, 173
die Blume; die Blumen 218
die Blüte; die
Blüten 96, 178
der Boden (die Boden) 26
das Braillebuch (die
Braillebücher) 210
braun 219
breit 158
breiter 160
am breitesten 183
das Brett (die Bretter) 38
der Brief (die Briefe) 140
der Briefkasten (die
Briefkasten) 141
die Briefmarke (die
Briefmarken) 140

der Briefumschlag (die
Briefumschläge) 140
das Brot 103
der Bruder; die Brüder 113
die Brust (die Brüste) 52
das Buch; die Bücher 13, 44
das Bücherbrett; die
Bücherbretter 44
die Bürste
(die Bürsten) ..132, 133
bürstet (bürsten) 133
die Butter 103

D
das Dach (die Dächer) 158
der Dampf 97
die Dampfpfeife (die
Dampfpfeifen) 224
dann 77
das (der, die) ..4, 13, 200
dass 227
der Daumen (die Daumen) 44
der Deckel; die Deckel 44, 97
Dein (Deine, Dein) 141
dem 14, 116
den 20
denen 116
der 4, 14, 25
des 12, 26
die Deutsche Mark 75
Deutschland 141
der Dezember 177
dick 102
dicker 173
am dicksten 183
die 4, 6, 48, 115

der Dienstag 138
das Ding; die Dinge 37
    diese; dieser;
    dieses 26, 27
der Donnerstag 138
    dort 2
    dorthin 29
    drei 36
    dreihundert 149
    dreihundertfünfund-
    sechzig 177
    dreissig 99, 104, 149
die Dreiviertelstunde........192
    dreizehn 149
    Du 154
    dunkel 191
    dünn 102
    dünner 183
am dünnsten 183
    durch 64
    durchsichtig 114

E

(das Ei) die Eier 101
    ein 1, 13, 16, 133
    eine 1, 17, 133
    eines 27, 34
    einige 95
    eins 36
    einundzwanzig 149
das Eis 98
(das Eisstück) die Eisstücke 221
der Eisschrank (die
    Eisschränke) 101
    elf 36
das Ende 167

die Entfernung (die
    Entfernungen) 186
    er 1
die Erde 96, 146, 178
das Erste (die Ersten) 230
    es 13
    etwas 168, 215

F

der Faden;
    die Fäden 171, 203
die Fahrkarte; die
    Fahrkarten 137, 138
der Fahrkartenschalter (die
    Fahrkartenschalter) 137
das Fahrzeug; die
    Fahrzeuge 185, 194
    fallen 178
    fällt (fallen) 200
    falsch 235
die Familie (die Familien) 113
die Farbe; die Farben 219
der Februar 177
die Feder (die Federn) 140
das Feld (die Felder) 209
die Feldarbeit (die
    Feldarbeiten) 209
das Fenster; die Fenster 26
    fertig 109
das Feuer 196
der Feuerball (die
    Feuerbälle) 196
    fiel (fallen) 234
der Finger; die Finger 44
die Flamme
    (die Flammen) ..97, 98

die Flasche;
  die Flaschen 4, 6
das Fleisch 103
das Flugzeug;
  die Flugzeuge 100
der Fluss; die Flüsse 189
die Form (die Formen) 146
die Frage; die Fragen..30, 34
die Frau; die Frauen ..1, 7, 62
der Frauenrock (die
  Frauenröcke) 203
(der Frauenschuh) die
  Frauenschuhe 82
der Freitag 138
(der Freund) die
  Freunde 139
froh 102
(die Frucht) die Früchte 96
das Frühjahr 178
der Frühjahrsmonat (die
  Frühjahrsmonate) ..179
fühlt (fühlen) 233
fünf 36
fünfzehn 149
fünfzig 105, 149
für 128
der Fuss (die Füsse) 12, 99

G
gab (geben) 22, 139
die Gabel; die
  Gabeln 91, 92
gabst (geben) 22, 162
der Garten (die Gärten) ..218
das Gebäude; die
  Gebäude 108, 193

(der Gedanke) die
  Gedanken 239
das Gefühl (die Gefühle) ..233
das Gegenteil   ..228, 230
gehen 29
geht (gehen) geht . . .
  auf   geht . . .
  unter 29, 147
gelb 219
das Geld 74
gemacht
  (machen) 204, 205
genug ·..................158
der Genuss (die
  Genüsse) 227
gerade 163
das Geräusch; die
  Geräusche 223, 224
der Geruch (die
  Gerüche) 218
der Gesang (die
  Gesänge) 224
geschlossen 26
der Geschmack 215
der Geschmackssinn 215
das Gesicht (die
  Gesichter) 46
gestern 148
das Gewicht (die
  Gewichte) 199
gib (geben) 166
gibt (geben) 22, 178
ging (gehen) 29
gingen (gehen) 39
das Glas; die Gläser 13
gleich 111, 190

die Glocke (die Glocken)..137
der Grad; die Grade 99
das Gras 218, 219
grau 219
gross 46
die Grösse (die Grössen)..219
grösser 173
grösste 225
die Grube; die
Gruben 224, 225
grün 219
(der Gruss) die Grüsse 140
gut 102, 211

H
das Haar (die Haare) 46
die Haarbürste; die
Haarbürsten 133
die Haarnadel; die
Haarnadeln 134
habe (haben) 16
haben 16
der Hafen (die Häfen) 141
der Haken (die Haken) 27
halbe 179
der Halbmond 191
die Hälfte (die Hälften) 191
der Hals (die Hälse) 51
der Hammer; die
Hämmer 165, 173
der Hammerschlag; die
Hammerschläge 223
die Hand; die
Hände 11, 20, 131
der Handschuh; die
Handschuhe 82, 153

das Handtuch (die
Handtücher) 132
hart 98
härter 184
hat (haben) 16
hatte (haben) 48
hatten (haben) 139
das Haus; die Häuser 28
die Hausarbeit (die
Hausarbeiten) 206
hell 191
das Hemd; die
Hemden 128, 152
heraus 100
der Herbst 178
(der Herbstmonat) die
Herbstmonate 179
herunter 77
der Herr (die Herren) 59
heute 148
hier 2
der Himmel 146
der Himmelskörper (die
Himmelskörper) 197
(die Himmelsrichtung) die
Himmelsrichtungen 148
hinauf 101
hinein 100
hinunter 198
am höchsten 193
hoch 182
hohe 224
höher 193
das Holz 159
(das Holzstück) die
Holzstücke 164

hören 211
hört (hören) 211
die Hose (die Hosen) 128
der Hund (die Hunde) 45
hundert ...._75_, 149
der Hut; die Hüte 6

I

ich 1
ihm 38
ihn 21
ihnen 48
ihr 10
Ihre 139
im (in dem) 15
immer 190
in 14
ins (in das) 61
intelligent 225
intelligenter 225
am intelligentesten 225
die Insel (die Inseln) 189
ist (sein) 1

J

ja 30
das Jahr (die Jahre) 177
die Jahreszeit; die
   Jahreszeiten 179
der Januar 138, 177
   jeder 147
   jetzt 48
der Juli 177
   jung 182
der Junge; die Jungen 3
der Juni 177

K

kalt 98
die Kälte 221
   kälter 202
   kam (kommen) 62
der Kamm (die Kämme) ..133
   kann (können) 185
(die Kanone) die
   Kanonen 224
die Karte (die Karten) 141
die Kartoffel; die
   Kartoffeln 95, 211
die Kartoffelsuppe 114
der Käse 103
   kaufen 81
das Kaufhaus (die
   Kaufhäuser) 82
   kauft (kaufen) 82
   kaufte (kaufen) 137
   keine 128
der Kilometer (die
   Kilometer) 180
das Kind; die
   Kinder 142, 184
das Kinn (die Kinne) 51
   klar 114
das Kleid; die Kleider ..81, 82
(das Kleidungsstück) die
   Kleidungsstücke 82
   klein 46
die Klinge (die Klingen) ..161
das Knie (die Knie) 51
der Knopf; die
   Knöpfe 170, 171
das Knopfloch (die
   Knopflöcher) 171

kommen 61
kommt (kommen) 62
können 211
das Konto (die Kontos) 208
das Kontobuch (die
    Kontobücher) 208
der Kopf (die Köpfe) 18
der Korb; die Körbe ..86, 111
der Körper (die Körper) 49
der Kragen (die Kragen)..169
krumm 163
der Kuchen (die Kuchen)..217
die Kuh; die Kühe 95, 209
die Kuhmilch 95
kurz 46
kürzer 181
am kürzesten 194

L

das Lächeln 231
lächelnder 234
das Land; die
    Länder 189, 190
lang 46
das Längenmass; die
    Längenmasse ..99, 180
länger 160
am längsten 194
langsam 181
langsamer 181
laut 223
lauter 224
leer 192
lernen 235
lesen 142
das Lesen 142

das Letzte (die Letzten) 230
letzte 230
das Licht (die
    Lichter) 45
lieber 140
liest (lesen) 142
die Linie (die Linien) 102
linke 49
(die Lippe) die Lippen 215
das Loch; die Löcher 128
der Löffel; die Löffel 80
die Lokomotive (die
    Lokomotiven) 137
die Luft 100

M

mach (machen) 163
mache (machen) 155
machen 81
machst (machen) 154
macht (machen)
    macht ... auf ..95, 200
machte (machen) 109
das Mädchen; die
    Mädchen 3
der Mai 177
manchmal 191
der Mann; die
    Männer 1, 7
die Mark 75
der März 177
das Mass (die Masse) 159
das Meer (die Meere) 216
das Meerwasser 233
mehr 190, 226
mein 10

meine 11
die Meinung (die
        Meinungen) 232
am meisten 226
das Messer; die Messer 91
die Messerklinge (die
        Messerklingen) 161
das Meter (die Meter) 99
mich 41
die Milch 78
die Million (die
        Millionen) 149
die Minute; die
        Minuten 47, 99
der Minutenzeiger (die
        Minutenzeiger) 99
mir 139, 201
mit 39
mitnehmen 128
der Mittag 47
die Mitte 167
die Mitternacht 47
der Mittwoch 138
der Monat; die Monate ..177
der Mond 146
der Montag 138
der Morgen 147
morgen 148
morgens 147
der Mund (die
        Munde) 43, 211
die Mutter (die Mütter) ..112
die Musik 211

N
nach 76, 127

die Nacht; die
        Nächte 148, 178
die Nadel; die
        Nadeln 134, 171
der Nagel; die
        Nägel 164
nahe 187
näher 194
nahm (nehmen) 20
die Nähnadel (die
        Nähnadeln) 134
(das Nahrungsmittel) die
        Nahrungsmittel 110
der Name; die
        Namen 59, 121
die Nase (die Nasen) 43
nass 131
nehme (nehmen)
        nehme...mit 20
nehmen 20
nein 30
neu 81
der Neumond 192
neun 36
neunzehn 148
neunzig 149
nicht 30
nichts 43
niedrig 182
nimmt (nehmen) 21
noch 221
der Norden 148
die Note; die Noten 224
der November 177
nützlich 203
nützlicher 226

O

das Obst 104
(die Obstart) die
 Obstarten 110
 oder 173
 offen 26
das Ohr) die Ohren 46
der Oktober 177
die Orange; die
 Orangen 104, 110
der Osten 147

P

die Person; die
 Personen 37, 211
die Pfeife (die
 Pfeifen) 81, 224
das Pferd; die
 Pferde 95, 111
die Pflanze; die Pflanzen ..96
die Pflanzenart; die
 Pflanzenarten 111
der Pflug (die Pflüge) 209
das Pfund (die Pfunde) ..199
die Post 141
die Postkarte (die
 Postkarten) 141
der Preis (die Preise) 138
das Pulver (die Pulver) 215

R

das Rad; die Räder 203
der Rahmen (die Rahmen)..27
der Rauch 203
 rechte 49, 160
 rechts 236

der Regen 200
der Regenschirm (die
 Regenschirme) 200
 regnet (regnen) 200
 regnete (regnen) 200
 rein 129
die Reise (die Reisen) 127
die Reisetasche (die
 Reisetaschen) 126
der Revolver; die
 Revolver 224
 richtig 235
die Richtung; die
 Richtungen 198
 riechen 218
 riecht (riechen) 218
der Rock (die Röcke) 88
die Rocktasche (die
 Rocktaschen) 169
die Rolle (die Rollen) 204
 rot 219
der Rücken (die Rücken) 89
die Rückseite (die
 Rückseiten) 88
 rund 146

S

 sage (sagen) 231
 sagen 43
 sagt (sagen) 43
 sagte (sagen) 43
 sagtest (sagen) 166
 sah (sehen) 41
das Salz 108
die Salzgrube (die
 Salzgruben) 216

INDEX

salzig 216
der Samstag 138
der Sand 233
die Schachtel; die
    Schachteln 88, 110
das Schaf;
    die Schafe 95, 111
die Schafwolle 204
die Schale (die Schalen)..217
der Schalter (die
    Schalter) 137
der Scheck (die Schecke).207
scheinen 220
scheint (scheinen) 220
die Schere (die Scheren)..172
(die Scherenklinge) die
    Scherenklingen 172
das Schiff; die Schiffe 14
der Schirm (die Schirme)..200
das Schlafzimmer (die
    Schlafzimmer) 126
der Schlag (die Schläge)..165
schlecht 200
schlechter 202
der Schlüssel; die
    Schlüssel 59
das Schlüsselloch (die
    Schlüssellöcher) 60
schmal 172
der Schmerz (die
    Schmerzen) 227
schmutzig 129
der Schnee 178
schnell 181
schneller 181
der Schnitt (die Schnitte)..160

die Schnur (die Schnüre)....27
schön 200
die Schönheit 232
schreiben 141
das Schreiben 142
schreibt (schreiben) ..140
schrieb (schreiben) 145
der Schuh; die
    Schuhe 82, 152
der Schuhmacher (die
    Schuhmacher) 206
der Schuhsack (die
    Schuhsäcke) 129
die Schularbeit (die
    Schularbeiten) 207
die Schule (die Schulen)..142
der Schwanz (die
    Schwänze) 50
schwarz 219
das Schwein; die
    Schweine 95, 111
die Schwester; die
    Schwestern 113
das Schwimmen 233
sechs 35
sechshundert 138
sechszehn 149
sechszig 149
sehe (sehen) 41
sehen 42
sehe ... durch
    (durchsehen) 114
sehr 98
die Seide 205
das Seidenhemd (die
    Seidenhemden) 205

der Seidenwurm (die
       Seidenwürmer) 205
die Seife (die Seifen) 131
    sein 10
    sein (vb.) 36
die Seite; die
       Seiten 31, 44, 88
(die Sekunde) die
       Sekunden 148
der September 177
das Servierbrett (die
       Servierbretter) 79
    sich 131, 227
    sie 1, 6, 41, 42
    Sie 42
    sieben 36
    siebenundsiebzig 138
    siebzehn 149
    siebzig 149
    sieht (sehen) 41
    sind (sein) 3, 6
der Sinn; die Sinne 215
    so 184, 191, 229
die Socke; die
       Socken 128, 153
der Sohn; die
       Söhne 112, 113
der Sommer 178
(der Sommermonat) die
       Sommermonate 179
der Sonnabend 138
die Sonne 146
der Sonntag 138
der Spaten (die Spaten)..207
der Spiegel (die Spiegel)..227
    spreche (sprechen) 211

    sprechen 211
    spricht (sprechen) 211
die Stadt; die
       Städte 141, 186
    stark 165
    stärker 166
die Stecknadel; die
       Stecknadeln 134
der Stern; die
       Sterne 148, 197
(der Stiefel) die Stiefel 206
der Stiel (die Stiele) 96
der Stock (die Stöcke) 182
der Stoff; die Stoffe 203
der Stoss (die Stösse) 60
die Strasse; die
       Strassen 28, 198
der Strumpf; die Strümpfe..82
das Stück (die Stücke) 98
der Stuhl; die Stühle 4, 58
die Stunde; die
       Stunden 99, 148
der Stundenzeiger (die
       Stundenzeiger) 99
die Stütze (die Stützen) ..167
der Süden 148
die Suppe 95
(die Suppenart) die
       Suppenarten 114
(der Suppenteller) die
       Suppenteller 114
    süss 217

T
der Tag; die Tage ..138, 148
die Tasche (die Taschen) ..59

INDEX

die Taschenpfeife (die
    Taschenpfeifen) 224
die Tasse (die. Tassen) 95
tat (tun) 24
tausend 149
das Taxi (die Taxis) 136
der Teil; die Teile 46, 51
der Teller; die Teller 79, 91
das Thermometer (die
    Thermometer) 98
tief 224
tiefer 225
tiefste 225
(das Tier) die Tiere 95
der Tisch (die Tische) 12
die Tischglocke (die
    Tischglocken) 137
die Tochter; die
    Töchter 112, 113
der Topf (die Töpfe) 97
(die Träne) die Tränen 234
die Treppe (die Treppen)..157
trocken 132
tu (tun) 166
das Tuch (die Tücher) 129
tue (tun) 25
tun 24
die Tür; die Türen 26, 63
tut (tun) 24

U

über 45
die Uhr; die Uhren 35, 125
der Uhrmacher (die
    Uhrmacher) 206
um 136, 190

und 14
uns 103, 220
unsere 41
unter 45
untergeht
    (untergehen) 219

V

der Vater (die Väter) 112
verschieden 110
viel 138
viele 211
vielleicht 202
vier 35
vierhundert 149
das Viertel (die Viertel) ..191
die Viertelstunde 179
vierundzwanzig 148, 153
vierzehn 149
vierzig 149
der Vogel; die Vögel 100
voll 192
der Vollmond 192
vom (von dem) 20
von 20
vor 100
die Vordertür (die
    Vordertüren) 88
die Vorderseite (die
    Vorderseiten) 88

W

die Waage (die Waagen) 199
der Wagen (die Wagen)..185
die Wand; die
    Wände 27, 48

wann 66
war (sein) 29
waren (sein) 39
warm 98
die Wärme 197
das Wärmemass (die
    Wärmemasse) 99
wärmer 202
der Warteraum (die
    Warteräume) 137
warum 200
was 30, 237
das Waschbecken (die
    Waschbecken) 131
wäscht (waschen) 131
das Wasser 14
weder-noch 221
der Weg; die
    Wege 236, 237
weich 105
weil 162
weiss 133
weit 187
weiter` 188
welch 233
welche 119
welcher 173
welches 194
wenig 138
wenn 100
wer 59
werde (werden) 20
werden 39
der Westen 147
das Wetter 200
wie 75

wieder 39
das Wiedersehen 141
wieviel 35
der Wind (die Winde) 76
windig 201
der Winkel; die
    Winkel 160, 173
der Winter 178
(der Wintermonat) die
    Wintermonate 179
wir 3
wird (werden) 21
wirst (werden) 158
wo 29
die Woche; die
    Wochen.138, 148, 177
der Wochentag; die
    Wochentage..138, 177
die Wolke; die
    Wolken 146, 200
die Wolle 204
der Wollstoff (die
    Wollstoffe) 205
das Wort (die Wörter) 142
(die Wurzel) die Wurzeln....96

Z
die Zahl; die Zahlen 149
der Zahn; die Zähne 107
die Zahnbürste (die
    Zahnbürsten) 132
die Zahnpasta 132
die Zehe; die Zehen 51
zehn 36
der Zeigefinger (die
    Zeigefinger) 63

INDEX

der Zeiger; die Zeiger 46

das Zeitmass (die
     Zeitmasse) 99

die Zeitung; die
     Zeitungen 143, 235

das Zentimeter; die
     Zentimeter 99, 180

die Ziege; die
     Ziegen 111, 176

das Zimmer (die
     Zimmer) 26

zu 37

der Zucker 215

der Zug; die Züge....127, 181

zum (zu dem) 37

die Zunge (die Zungen) ..215

zur (zu der) 39

zusammen 38

zwanzig 149

zwei 35

der Zweig (die Zweige) 86

zweihundert 149

zwischen 44

zwölf 36